La collection
ROMANICHELS
est dirigée par
André Vanasse

De la même auteure

Claudette Charbonneau-Tissot, *Contes pour hydrocéphales adultes*, Montréal, Éditions Pierre Tisseyre, 1974.

Claudette Charbonneau-Tissot, *La contrainte* (nouvelles), Montréal, Éditions Pierre Tisseyre, 1976.

Claudette Charbonneau-Tissot, *La chaise au fond de l'œil* (roman), Montréal, Éditions Pierre Tisseyre, 1979 ; Montréal, XYZ éditeur, coll. « Romanichels poche », 1997.

Aude, *Les petites boîtes*, 2 tomes (contes pour enfants), Montréal, Éditions Paulines et Arnaud, 1983.

Aude, *L'assembleur* (roman), Montréal, Éditions Pierre Tisseyre, 1985.

Aude, *Banc de brume ou Les aventures de la petite fille que l'on croyait partie avec l'eau du bain* (nouvelles), Montréal, Éditions du Roseau, coll. « Garamond », 1987.

Aude, *Cet imperceptible mouvement* (nouvelles), Montréal, XYZ éditeur, coll. « Romanichels poche », 1997.

Aude, *La chaise au fond de l'œil* (roman), Montréal, XYZ éditeur, coll. « Romanichels poche », 1997.

Aude, *L'enfant migrateur* (roman), Montréal, XYZ éditeur, coll. « Romanichels », 1998 ; Montréal, XYZ éditeur, coll. « Romanichels poche », 1999.

Aude, *L'homme au complet* (roman), Montréal, XYZ éditeur, coll. « Romanichels », 1999.

Aude, *Quelqu'un* (roman), Montréal, XYZ éditeur, coll. « Romanichels », 2002.

Chrysalide

La publication de cet ouvrage a été rendue possible grâce à l'aide financière du ministère du Patrimoine canadien par l'entremise du Programme d'aide au développement de l'industrie de l'édition (PADIÉ), du Conseil des Arts du Canada (CAC), du ministère de la Culture et des Communications du Québec (MCCQ) et de la Société de développement des entreprises culturelles (SODEC).

XYZ éditeur
1781, rue Saint-Hubert
Montréal (Québec)
H2L 3Z1
Téléphone : 514.525.21.70
Télécopieur : 514.525.75.37
Courriel : info@xyzedit.qc.ca
Site Internet : www.xyzedit.qc.ca

et

Aude

Dépôt légal : 4ᵉ trimestre 2006
Bibliothèque et Archives Canada
Bibliothèque et Archives nationales du Québec
ISBN 10 : 2-89261-474-0
ISBN 13 : 978-2-89261-474-9

Distribution en librairie :
Au Canada :   En Europe :
Dimedia inc.   D.E.Q.
539, boulevard Lebeau   30, rue Gay-Lussac
Ville Saint-Laurent (Québec)   75005 Paris, France
H4N 1S2   Téléphone : 1.43.54.49.02
Téléphone : 514.336.39.41   Télécopieur : 1.43.54.39.15
Télécopieur : 514.331.39.16   Courriel : liquebec@noos.fr
Courriel : general@dimedia.qc.ca
Droits internationaux : André Vanasse, 514.525.21.70, poste 25
                            andre.vanasse@xyzedit.qc.ca

Conception typographique et montage : Édiscript enr.
Maquette de la couverture : Zirval Design
Photographie de l'auteure : Christian Desjardins
Illustration de la couverture : August Macke, *Paysage à l'arbre clair*, 1914
Illustration des pages de garde : détail de la couverture

Aude

Chrysalide

roman

XYZ
éditeur

Romanichels

L'auteure remercie le Conseil des Arts du Canada pour son soutien financier.

À toutes celles
et à tous ceux
que j'aime.

Chrysalide

Nymphe des lépidoptères,
dont la vie se déroule à l'intérieur d'un cocon,
et qui donne naissance au papillon.
Chenille qui se change en papillon.

Le Petit Robert

Première partie

Dans ma main
Le bout cassé de tous les chemins

<small>SAINT-DENYS GARNEAU</small>

Chapitre 1

Jusqu'à l'adolescence, je m'étais si bien conformée à ce que les autres attendaient de moi que je n'étais plus qu'une belle image, avec rien derrière.

Le jour de mes quatorze ans, j'ai senti qu'il y avait urgence, que je devais réagir, là, tout de suite, sinon il serait trop tard.

Le premier geste que j'ai fait pour me redonner vie a été de me suicider.

J'ai été réanimée *in extremis* et j'ai passé deux jours dans le coma, ce qui n'a pas été une mauvaise chose, le fait qu'on me sauve, bien sûr, mais le coma aussi, puisque j'avais l'estomac et l'œsophage dans un piètre état, en feu, totalement inutilisables avant que leurs parois et leurs muqueuses se régénèrent.

En fait, je n'avais pas du tout envie de mourir, encore moins de souffrir, et j'ai été folle d'avaler n'importe quoi sans réfléchir, sur un coup de tête. D'autant plus que ça n'a servi à rien. Mes parents n'ont alors rien compris à mon geste. Moi non plus, d'ailleurs, et cela, pendant longtemps.

Quand je suis sortie du coma, un psychiatre est passé me voir à plusieurs reprises.

Une fois revenue à la maison, j'ai été suivie pendant des mois par une psychologue.

Je n'avais rien de particulier à leur dire, ni au psychiatre, ni à la psychologue, ni à mes parents, ni à personne. Non pas parce que je tenais à garder quelque secret, je n'en avais simplement pas. Et tout ce que je trouvais à leur dire était totalement banal, dérisoire, insignifiant, et n'arrivait pas du tout à justifier ce que j'avais fait d'épouvantable et de stupéfiant, le jour de mon anniversaire.

Mes parents m'adoraient, ils n'étaient pas séparés, nous habitions une belle maison. Tout allait pour le mieux, j'avais mon groupe d'amies, je réussissais très bien à l'école. Je n'étais ni trop grosse, ni trop maigre, ni trop rien. J'étais tout à fait normale. Je n'avais pas de soucis sérieux, je ne manquais pas d'argent, mon père et ma mère n'étaient pas du genre à m'empêcher de sortir ou à m'imposer des règles stupides.

Jusque-là, j'avais traversé l'adolescence en ne faisant que des vaguelettes. J'avais échappé, au grand bonheur de mes parents, aux menaces et aux dérapages qu'ils redoutaient tant pour moi : les pédophiles, l'anorexie, le décrochage scolaire, la drogue, l'alcool, le sexe non protégé, la grossesse, les peines d'amour démesurées, les fugues, le GHB, le viol, la violence, la prostitution, le sida, la schizophrénie, n'importe quoi dont la seule pensée les rendait fous d'inquiétude.

Depuis que j'étais toute petite, ils m'avaient tenue, du mieux qu'ils avaient pu, à l'abri des grandes peines, des dangers et des problèmes, même de ceux que j'aurais eu avantage à affronter, seule, pour me faire les dents. Malgré mes allures désinvoltes et mes frasques (sans grandes conséquences, il faut dire), sous mes dehors insolents et mon petit air suffisant, j'étais en réalité une adolescente craintive et timorée. Je le cachais bien, mais je savais que mes parents avaient réussi, à la longue, à me convaincre que, hors du nid douillet où j'évoluais, décontractée et indolente, la vie était dure, menaçante, pleine de gouffres et de pièges souvent très bien dissimulés.

Pourtant, tout au fond de moi, une voix commençait à me dire qu'en ne prenant ainsi aucun véritable risque, je passais peut-être à côté du plus important : affronter ce monde de l'ombre, qui aurait enfin pu me donner ma vraie mesure.

Peu à peu et sans le laisser voir, j'en suis venue à envier celles et ceux que je voyais s'enfoncer lentement dans ces univers parallèles, mystérieux et redoutables pour moi, qui leur cernaient immanquablement les yeux, rendaient leur teint blafard et les faisaient s'écarter tôt ou tard du troupeau. Au dire de mes parents, ils étaient en train de se détruire. Pourtant, ils me paraissaient paradoxalement plus vivants que moi qui commençais à me sentir superficielle et insipide à côté d'eux, plus préoccupée par les revues de mode et les nouveaux gadgets que par ce qui se passait au fond de moi, autour de moi et dans le monde.

Ma plus grande peur, jusque-là, avait été de ne pas être comme les autres, de ne pas correspondre au modèle qu'on nous imposait partout, dans la publicité et par nos idoles, comme étalon de notre valeur. Or, en ce domaine, j'excellais à présent et j'en tirais l'assurance d'être à la hauteur.

Je l'avais ! C'était même devenu facile, comme une seconde nature. Mes amies l'avaient. Nous nous étions choisies pour cela, écartant peu à peu celles qui n'arrivaient pas à se maintenir en permanence dans l'état de bonheur exigé. Mes parents l'avaient aussi et la plupart de leurs amis. Nous étions cool et branchés, chacun dans nos sphères et à notre manière. Ce qui n'était pas donné à tout le monde.

J'étais du bon bord, du côté des gagnants. J'avais certes mes ennuis, comme tout le monde, mes petits drames, mais cela faisait partie du jeu et y mettait du piquant.

J'aimais d'ailleurs exagérer la moindre contrariété pour avoir l'air de quelqu'un à qui il arrivait plein de choses et qui vivait ses émotions à fond. Et je racontais avec une telle exubérance des événements sans intérêt qui m'étaient arrivés qu'ils en devenaient captivants, rocambolesques, dramatiques ou drôles. S'il ne s'était rien passé de particulier depuis peu, j'en inventais. Ma vie était passionnante, en apparence, et faisait paraître la vie de certaines de mes amies bien terne, à côté.

Je frimais, nous frimions tous, pour maintenir l'image avantageuse que nous avions adoptée et qui nous servait de passeport, parfois d'identité. Je voyais mes parents le faire quand ils recevaient leurs amis ou la parenté. Ils jouaient aussi ce jeu avec leurs collègues et avec les voisins. Ils en mettaient plus encore avec mes professeurs et les autres parents lors des réunions scolaires. Même dans les restaurants et dans les magasins, ils disaient qu'on était mieux considéré si on en imposait par une façon d'être, de se tenir et de parler qui donnait à croire qu'on était des gens importants. Or, nous étions de la classe moyenne, du bon bord de la moyenne, il faut dire, mais rien de plus.

Nous étions tous, presque tout le temps, même en famille, même entre amis, en représentation.

Je n'en étais pas consciente jusqu'à ce qu'un vague mais persistant malaise commence à s'installer au fond de moi et que la voix s'y fasse entendre.

Pendant un certain temps, il m'a été relativement facile d'enterrer ce qu'elle tentait de me dire sous les rires, la musique et le verbiage. Quand elle insistait, je partais magasiner avec mes copines, je lisais des revues à potins, j'écoutais une émission de téléréalité ou un soap américain enregistré pendant que j'étais à l'école. Nous raffolions toutes de ces histoires pleines de jalousie, de rivalité et de perfidie. Plus tard, le soir, nous en parlions au téléphone.

Je savais que si j'écoutais la voix en moi, cela risquait de tout foutre en l'air. Je ne comprenais ni pourquoi ni comment, mais je le sentais.

Le jour de mes quatorze ans, la voix s'est tout à coup amplifiée dans ma tête, jusqu'à l'occuper tout entière et à résonner partout dans mon corps.

Cette fois, je n'ai pas réussi à la museler, à l'étrangler, malgré la fête autour de moi, les parents, les amis, les cadeaux, les surprises, la bonne humeur. Ou peut-être justement à cause de cette fête, de cette surenchère de futilités, de rires hystériques et de fausseté.

Comme toujours, chacun se sentait obligé de se livrer à l'étalage absurde de ses nouvelles acquisitions, de ses connaissances, de ses petites prouesses pour ne pas perdre la cote aux yeux des autres, et déchoir. Il ne fallait pas non plus risquer d'être jugé ou devenir l'objet des « Savais-tu qu'une telle et blablabla ». Parce qu'il y avait aussi immanquablement des ragots, des rumeurs, des indiscrétions qui passaient de bouche à oreille en catimini, parfois à propos de gens présents, juste à côté de nous.

Je n'étais pas en reste.

J'étais d'ailleurs en train de faire semblant de m'extasier devant le cadeau qu'une voisine, madame Fortier, était venue m'offrir, et qui détonnait totalement à côté des autres que j'avais reçus. Elle était tout de suite repartie, intimidée probablement, saluant à peine mes parents au passage. Elle n'avait d'ailleurs pas été invitée et sa brève apparition m'avait embarrassée.

On se moquait maintenant sans retenue de ce cadeau ridicule, une figurine d'environ douze centimètres de haut, visiblement achetée dans un magasin à un dollar, et usagée de surcroît. Comment pouvait-on oser offrir une telle chose !

Madame Fortier vivait dans une maison presque identique à la nôtre, mais très mal entretenue depuis un certain temps. Elle tondait sa pelouse à peu près une fois par mois et son jardin anglais était devenu une jungle, ce qui énervait plusieurs voisins, y compris mes parents.

Personne n'avait plus de contact avec elle ou presque.

Elle n'était pas tout à fait comme nous. Ses cheveux courts et ébouriffés étaient d'un indigo très sombre. Ses sourcils et ses cils maquillés de violet soulignaient le bleu de ses yeux. Cela donnait à son regard une limpidité troublante, presque déconcertante, lorsqu'elle nous regardait. Comme si on avait eu accès directement à ce qu'elle était à l'intérieur, sans aucun écran et sans faux-fuyant possible.

Ces dernières années, elle avait vécu des événements terribles. Nous le savions. Avec elle, à cause de ce regard, entre autres, il nous était donc très difficile de faire semblant de rien, de pavoiser et de débiter nos insipidités. On préférait se tenir loin d'elle pour éviter le malaise.

Et puis, le malheur est contagieux, c'est connu. Raison de plus pour ne pas l'inviter ou établir un lien quelconque qui nous engagerait à plus.

Pourtant, moi, j'avais été en contact avec cette femme. J'étais allée chez elle à quatre reprises, à sa demande. Ce cadeau qu'elle venait de m'offrir n'avait rien de risible, loin de là. La statuette avait appartenu à sa fille. Et c'est moi qui la lui avais offerte. Elle était chargée d'une histoire, de souvenirs, d'émotions. Je l'avais effectivement achetée dans un magasin à un dollar. C'était un ange longiligne, debout sur un petit nuage. Les anges n'ont pas de sexe, je sais, mais celui-là était manifestement une fille.

Je n'ai rien dit de tout cela aux autres, pas plus que je n'avais parlé de mes quatre visites dans cette maison. J'aurais eu peur qu'on m'associe de quelque façon à cette famille victime d'un destin pitoyable.

Pendant que le fléau s'abattait sur cette maison, on en avait parlé très peu autour de moi, et quand enfin on avait abordé le sujet, ç'avait été pour dire combien ces coups répétés du sort étaient épouvantables, effroyables, atterrants. Cela s'était arrêté là et aucun geste n'avait été fait pour offrir quelque soutien que ce soit, sous prétexte qu'on ne devait pas s'immiscer dans les affaires des autres et que, de toute façon, on était totalement impuissant devant une telle situation. On ne pouvait que déranger.

En évitant soigneusement de regarder de ce côté, on arrivait presque à oublier que cela pouvait très bien nous arriver aussi. Et c'est exactement ce que l'on cherchait.

Le jour de mes quatorze ans, alors même que je me moquais de cette femme avec les autres, une trappe s'est soudain ouverte, sous mes pieds, sur la scène où je faisais mon petit numéro. La voix en moi s'est élevée et elle s'est mise à me crier avec violence d'arrêter mes simagrées, que je n'avais pas le droit de faire cela.

Le cœur s'est mis à me débattre. J'avais des crampes à l'estomac et au ventre. J'étais en sueur. Je tremblais.

Non seulement je n'arrivais plus à tenir mon rôle, mais je ne voulais plus être là, je ne voulais plus être celle que j'étais. C'était viscéral. J'avais honte.

Je suis allée m'enfermer dans la salle de bains du haut et, sans réfléchir une seconde, j'ai ingurgité pêle-mêle tout ce que j'ai trouvé, des médicaments aux produits ménagers sur lesquels il y avait une tête de mort.

Sans aucune préméditation, j'ai sauté dans le vide, hors du nid dans lequel j'avais pourtant vécu peinarde tant d'années. Peu m'importait où j'atterrirais, pourvu que ce soit ailleurs et que je me retrouve autre.

Or, quand je suis sortie du coma, j'ai eu l'impression de me retrouver exactement à l'endroit d'où j'étais partie et d'être toujours la même.

Mes parents tentaient de se montrer calmes et rassurants avec moi, mais je les sentais défaits et affolés. Ils essayaient frénétiquement de recoller les pots cassés, et j'en avais brisé beaucoup plus que je ne croyais, et de reconstruire la bulle enchantée dans laquelle nous vivions avant que je la fasse éclater.

Mes amies avaient étrangement disparu, sauf une, Justine, qui est devenue ma meilleure amie. Les autres avaient fui, apeurées, refusant de se laisser déstabiliser par ma prise de position. Car cela en était une, sans que je l'aie voulue. Mon geste remettait en question ce que nous étions, ce que nous aimions, nos valeurs, notre pseudo-amitié et notre bonheur de pacotille. C'était trop menaçant pour elles. Il était plus facile de me rejeter sous prétexte que j'étais passée dans le camp des loosers, des minables, des gens à problèmes. Elles m'ont envoyé de petits mots convenus et impersonnels, pendant ma convalescence. Lorsque nous nous sommes revues, plus tard, à l'école, nous étions devenues des étrangères et elles me regardaient de haut.

Comme cela arrive, et bien souvent avec raison, mes parents ont interprété ma tentative de suicide comme un appel à l'aide désespéré, une demande déchirante d'attention et d'amour, un besoin accru de protection.

Au sortir de l'hôpital, j'ai vécu des semaines insensées où leur sollicitude inquiète et coupable est tombée sur moi comme une chape de plomb, m'empêchant de respirer et rendant tout encore plus faux entre nous.

Ils me souriaient presque constamment, d'un sourire forcé et crispé, comme pour me dire que tout allait bien, que la vie était belle, qu'il ne s'était rien passé. Les conversations à table semblaient aussi légères et amusantes qu'avant, mais la voix de ma mère chevrotait et les mains de mon père tremblaient.

Au cours d'une journée, ils me posaient ici et là une multitude de petites questions qui semblaient tout à fait anodines alors que je sentais qu'ils auraient voulu me soumettre à un interrogatoire serré pour savoir ce qui s'était passé, ce qui n'allait pas chez moi, ce que je vivais intérieurement pour que j'en arrive à un geste aussi désespéré. Ils n'avaient rien vu venir, ils n'avaient perçu aucun signe avant-coureur (il n'y en avait pas eu), ils me croyaient insouciante et heureuse. Ils voulaient savoir s'ils y étaient pour quelque chose, ce que je leur reprochais, si quelqu'un d'autre m'avait fait du mal à leur insu. Ils voulaient comprendre. C'était normal.

Je voyais bien la souffrance dans laquelle je les avais plongés en mettant ma vie en péril, mais je ne parvenais pas à leur expliquer pourquoi j'avais fait cela. J'ai donc décidé, à défaut de mieux, de tout faire pour les rassurer et alléger l'atmosphère.

Je jouais comme eux à être de bonne humeur. J'essayais même de dédramatiser ce qui s'était passé à l'hôpital en imitant certains médecins et quelques infirmières, et jusqu'à la psychologue que je voyais à présent. Je glanais un peu partout des détails sur des sujets que je savais les intéresser. Mine de rien, j'abordais ensuite la question. Ils tombaient dans le panneau presque à tout coup, surtout mon père, dont je devais alors subir les explications longues et parfois fastidieuses. Cela semblait leur faire tellement plaisir que je m'y prêtais volontiers.

Sauf que cette comédie m'épuisait. J'avais l'impression d'être une poupée articulée dont je devais sans cesse remonter le mécanisme pour qu'elle arrive à parler et à bouger de façon convenue et convenable. Ce n'était plus naturel, cela n'allait plus de soi, alors que cela l'avait toujours été jusque-là, comme si j'avais été animée d'un mouvement perpétuel et fiable.

Parfois, je surprenais ma mère en train de pleurer, ce qui n'arrivait pas avant. Je me réfugiais alors discrètement dans ma chambre et je pleurais de l'avoir vue pleurer, souvent longtemps après qu'elle-même avait cessé de le faire.

On a joué à cela deux mois et demi. Puis, l'exaspération et la colère ont insidieusement pris la place de la culpabilité et des précautions affectueuses, chez eux comme chez moi.

Ils ont commencé à s'impatienter devant mon silence ou mes réponses évasives, parlant de mon entêtement, de mon refus de les aider à me comprendre. Ils m'accusaient de leur cacher la vérité, de les maintenir dans l'ignorance, dans l'impuissance, de faire de la résistance passive comme pour les punir d'ils ne savaient quoi.

Cela paraissait tellement simple à leurs yeux. Il aurait suffi que je consente à m'asseoir à la table et que je leur dise enfin tout, que je leur explique clairement et sans retenue pourquoi j'avais fait ce que j'avais fait, ce qui n'allait pas et ce qu'ils pouvaient faire. Ils revenaient toujours à cela.

Plus ils exerçaient de pressions sur moi, plus cela m'enrageait. Je me sentais cruelle et idiote à la fois, complètement démunie.

J'étais vide au-dedans.

Avant ma tentative de suicide, ce vide était déjà là, je le savais parce que la voix en moi me l'avait fait remarquer à plusieurs reprises. Mais, à l'époque, j'arrivais toujours à oublier ce vide en achetant plein de choses, en donnant de l'importance à des insignifiances, en me lançant dans toutes les activités qui se présentaient, en ne cessant de parler, de former des projets et de broder mille fantaisies ridicules.

Or, je ne parvenais plus à masquer le vide en moi. Il y avait même du vent dans ma tête, peut-être à cause des médicaments qu'on me faisait prendre pour éviter que j'aie une rechute.

J'aurais alors tout donné pour revenir en arrière, pour effacer ma tentative de suicide et pour que tout redevienne comme avant, même moi. J'avais l'impression de n'être plus personne. Mes parents me traquaient, ils voulaient à tout prix retrouver leur fille, mais je ne savais pas plus qu'eux où elle était passée.

Le jour de mes quatorze ans, je leur avais échappé brutalement et je m'étais fait faux bond. Et même si, depuis, j'essayais non seulement de paraître mais de redevenir celle que j'étais avant, cela ne marchait pas. Ils n'étaient pas dupes. Il y avait imposture. Et je n'y pouvais rien.

J'avais brisé en eux la certitude qu'ils avaient de tout connaître de moi. J'étais sortie de la zone où ils pouvaient subtilement me téléguider pour m'empêcher de commettre des bêtises et de souffrir, bien sûr, mais aussi pour éviter que je fasse des choix qui auraient pu les remettre en question. Je n'étais plus en mesure de les conforter dans leur façon de vivre, de penser, de voir le monde, dans leur manière de se rassurer mutuellement en se donnant bonne conscience et en se trouvant tellement mieux que bien des gens.

Tout à coup, au milieu d'une splendide fête organisée pour mes quatorze ans, j'avais montré qu'il y avait une faille énorme dans leur beau système, qu'ils n'étaient pas les parents parfaits, que je n'étais pas la jeune fille radieuse que je semblais être, que nous n'étions pas la famille idéale, enviable.

Mon but n'avait pourtant pas été de saccager ce qu'ils avaient construit, avec amour, je n'en doutais pas, depuis leur rencontre et depuis ma naissance. En fait, je n'avais strictement rien à leur reprocher. J'avais adoré tout ce que j'avais vécu avec eux et grâce à eux jusque-là, et je n'aurais voulu rien d'autre si la voix ne s'était pas levée en moi, impérative, pour m'inciter à la suivre sans que je sache où elle m'amenait.

J'aimais toujours mes parents, même s'ils avaient de la difficulté à le croire à présent, mais je ne pouvais plus tenir le rôle qu'ils m'avaient attribué dans la pièce qu'ils avaient écrite pour nous trois. Je n'étais plus capable.

Je n'acceptais pas non plus qu'ils ramènent maintenant tout ce qui s'était passé à eux, à notre relation, à la famille que nous formions. Ils me dépossédaient de la sorte de quelque chose qui n'appartenait qu'à moi. Je n'aurais même pas su dire quoi.

Quelques mois plus tard, j'ai fait une fugue. C'était en plein été et j'ai vécu presque deux semaines dans la rue. J'avais l'impression d'être un animal échappé d'une cage. J'étais beaucoup trop excitée pour voir ce qui se passait réellement autour de moi et pour avoir peur des dangers qui me guettaient. J'étais une belle cible, mais je ne m'en rendais pas compte.

J'ai été retrouvée à temps et ramenée au bercail où mes parents étaient aux abois.

À mon retour, ma mère était plus gelée et désorientée que moi.

Je me suis tenue tranquille quelques mois.

Ma mère était en dépression.

Mon père s'était enfermé dans une colère froide à mon égard. Plus question de rire ou de parler de quoi que ce soit à part de choses pratiques. Il m'a chargée de m'occuper de la maison pendant que ma mère était malade. Je l'ai fait du mieux que j'ai pu même si je ne savais pas trop comment m'y prendre, surtout pour la cuisine.

Je me sentais responsable de tout ce qui arrivait. Je marchais sur la pointe des pieds et je respirais à peine. J'aurais voulu devenir transparente.

Pendant ma fugue, je n'avais pas mesuré l'ampleur du désarroi dans lequel je les plongeais en disparaissant peu de temps après avoir fait une tentative de suicide. J'avais envie de vivre, pas de mourir, et même si je leur avais donné l'impression de couper tous les ponts entre nous en m'enfuyant sans leur donner aucune nouvelle, je n'avais jamais cessé de les aimer. J'aurais souhaité qu'ils le devinent, qu'ils ne s'inquiètent pas pour moi, qu'ils me fassent confiance, qu'ils me laissent vivre ce que j'avais à vivre, même s'ils avaient peur pour moi. Pendant mon escapade, où que j'aie été et avec qui que ce fût, je leur disais *Bonne nuit !* dans mon cœur, avant de m'endormir. Et cela me réconfortait de savoir qu'ils étaient quelque part dans la ville, dans notre maison, à m'aimer encore, malgré tout. Du moins, c'est ce que j'espérais.

Maintenant que j'étais revenue et que je faisais tout pour me racheter, ils se désintéressaient de moi. On aurait dit qu'ils tentaient de reconstituer le couple qu'ils avaient formé avant ma naissance et de me tenir le plus possible à l'écart. Ils prenaient soin l'un de l'autre et se défendaient mutuellement de moi : « Tu vas déranger ta mère. Va écouter la télévision dans ta chambre », « Ton père n'aime pas l'ail. Tu vois bien qu'il a du mal à digérer. »

Ils m'en voulaient, c'était clair, et beaucoup plus que je ne l'aurais pensé.

J'avais bousillé leur œuvre. Je les remettais en question aux yeux des autres et à leurs propres yeux. Ils n'étaient pas mieux que ceux qui avaient des enfants à problèmes et auxquels ils s'étaient permis de donner délicatement des conseils quant à la façon d'éduquer un enfant. J'avais détruit la confiance suffisante qu'ils avaient dans le fait d'être au-dessus de la mêlée. Ils étaient comme tout le monde, ils l'avaient d'ailleurs toujours su et ils avaient travaillé fort à se persuader eux-mêmes et à convaincre les autres du contraire. J'avais jeté tout cela par terre, sans même l'avoir cherché, simplement en essayant d'être moi-même, de suivre la voix en moi, même si elle semblait totalement folle.

❏

Francis a terminé son petit-déjeuner. Il se lèche les
doigts en me regardant écrire.

Je ne lève pas les yeux vers lui. Je continue à écrire en
attendant qu'il sorte de table. Depuis quelque temps, il
mange en silence et il va ensuite s'asseoir sur le divan sans
un mot. Filou va aussitôt le rejoindre. Francis joue avec lui,
le fait gronder un peu, le caresse, lui ébouriffe les poils et
lui parle tout bas un bon cinq à dix minutes, dans un état
de concentration étonnant. Après, c'est réglé pour un bout.
Francis s'allume alors une cigarette ou il se roule un joint,
il met ses écouteurs et puis... rien. Ce rien peut durer
longtemps. Souvent jusqu'à ce que son ami Olivier se
pointe et qu'ils partent ensemble.

« Qu'est-ce tu fais ? »

« J'écris. »

« J'le vois ben. Qu'est-ce t'écris ? »

Je ne m'attendais pas du tout à ce qu'il me parle.

Depuis quelques semaines, on ne s'adresse presque
plus la parole. Sauf quand une scène éclate. Et même là,
comme on l'a déjà jouée souvent, on coupe dans le texte.
Ça ménage la salive, mais ça nous éloigne encore plus.

Je suis désarçonnée. Je ne sais pas comment réagir.

Je continue à écrire même si c'est difficile de ne pas
lever la tête pour lui répondre. Je ne peux évidemment pas
lui dire ce que j'écris. D'ailleurs, je ne pensais pas du tout
écrire cela. D'habitude, je note des idées pour un travail, je
lis ou je fais n'importe quoi qui me donne une contenance
quand nous nous retrouvons face à face à la table, sans
avoir rien à nous dire.

Or, ce matin, dès que j'ai ouvert les yeux, j'ai été sub-
mergée par l'envie folle de disparaître, de me défenestrer,
de m'éjecter brutalement de ce décor et de ce personnage

dans lesquels je suffoque, même si, cette fois, c'est moi qui ai choisi d'être ici, avec Francis.

J'ai maintenant vingt-deux ans et je ne me lancerai pas de la fenêtre du quatrième étage, c'est sûr. Mais l'impression du réveil était si forte que c'est probablement elle qui m'a poussée à replonger, en écrivant, dans ce qui s'est passé il y a huit ans, quand j'ai fait le saut, pour vrai.

Francis attend toujours en me fixant. Sa patience m'étonne encore plus.

Je continue pourtant à écrire. Exactement comme si je n'avais pas entendu sa question. Il le fait bien, lui ! Au début, je répétais ma question et, devant son silence obstiné, je me mettais à gesticuler devant lui : « Coucou ! Chu là ! Hey ! J't'ai posé une question ! Knock ! Knock ! Y a-tu quelqu'un dans c'te beau corps-là ? Merde ! T'es sourd ou quoi ? »

Un jour, il m'a regardée comme si j'étais une débile et il m'a lancé : « Ça s'voit pas que j'ai envie d'être seul ? »

Ça m'a cloué le bec. Depuis, quand il fait comme s'il n'avait pas entendu ma question, je n'insiste pas. Et je deviens mal, à tout coup, parce que je ne sais plus où me mettre. J'ai l'impression qu'il faudrait alors que je devienne subitement invisible ou que je m'en aille. Mais je n'ai pas toujours envie de sortir et on habite un studio. Je ne peux donc pas disparaître dans une autre pièce. Et puis, c'est chez moi autant que chez lui, ici. Et même un peu plus chez moi que chez lui maintenant qu'il me doit trois mois de sa part du loyer, sans compter l'électricité, le téléphone et une bonne partie de l'épicerie.

Il se lève en marmonnant son sempiternel : « Fais chier ! »

Il cherche ses vêtements éparpillés ici et là et il s'habille en vitesse.

Ensuite, il s'en va en claquant la porte pour bien marquer la coupure.

Clac !
Filou n'aura pas sa ration de câlins.
Moi non plus. Dans mon cas, ce ne sera pas nouveau.
Je n'arrive plus à écrire.

Chapitre 2

La première chose que j'ai faite en rentrant, même s'il était tard, a été de relire ce que j'avais écrit ce matin dans mon cahier de notes. Je l'ai ensuite transcrit rapidement sur mon portable pour que Francis ne tombe pas dessus. Puis, j'ai brûlé les pages du cahier dans l'évier de la cuisine comme s'il s'agissait d'un document *Top Secret*.

Le détecteur de fumée s'est mis à hurler! Filou est devenu fou, il le devient inévitablement quand cet engin démarre. J'en tremblais. J'ai toujours peur qu'il fasse une autre crise d'épilepsie. Il court en rond dans la pièce en poussant des cris déchirants comme si on le dardait de fléchettes. Et quand on agite la serviette près du détecteur de fumée pour que cesse le bruit infernal, il s'écrase en gémissant comme si on allait le battre. J'ai dû le rassurer pendant plus de quinze minutes quand le silence est enfin revenu. Il est maintenant couché dans son panier, épuisé. Il s'efforce de ne pas fermer les paupières. Il me regarde, inquiet, pour s'assurer que tout va bien.

J'aime ce chien. Il est bizarre à tout point de vue. C'est un mélange de yorkshire et de poméranien. Il a l'air d'un ahuri avec ses touffes de poils droites sur la tête, son joli museau très allongé et ses oreilles démesurément grandes, dressées sur son crâne minuscule. Son petit corps est haut perché sur des pattes fines et longues. Il pèse une plume, trois kilos tout au plus, ce qui ne l'empêche pas, au cours de ses promenades, d'affronter n'importe quel chien qu'il rencontre, même un danois ou un doberman. On dirait qu'il ne comprend pas qu'il ne fait pas le poids.

La première fois que Filou a eu une crise d'épilepsie, nous étions encore bien, ensemble, Francis et moi. Nous avions fait une petite fête. Nous avions bu, fumé et chanté à tue-tête. Les derniers amis venaient de partir. Nous nous sommes laissés tomber sur le lit par terre et Francis a appelé Filou pour qu'il vienne se coucher avec nous, comme à son habitude. Il n'est pas venu. Francis s'est redressé pour voir où il était. Il s'est alors mis à crier «Filou! Filou!» en se levant précipitamment. Filou était sur le dos, les pattes raides dans les airs et il tremblait. Francis l'a pris dans ses bras, comme il a pu, parce que Filou restait tout rigide. Il avait les yeux fixes et hagards. Francis l'appelait, lui parlait en sanglotant. Peu à peu, Filou s'est décontracté et il est revenu à lui. Pas comme d'habitude. Il était fébrile et tremblotant comme s'il avait vu des monstres. Le lendemain, il était redevenu lui-même.

Ce que nous avons pensé, cette première fois, c'est que Filou avait fait un bad trip. Jamais auparavant il n'y avait eu autant de monde dans notre petit appart et plusieurs avaient fumé. Comme c'était la fin de l'hiver et que nos deux seules fenêtres étaient coincées dans la glace, nous n'avions pas pu ouvrir pour aérer. Filou avait donc forcément fumé malgré lui et, compte tenu de sa petite taille, l'effet avait été bœuf. Nous en avons ri, bien sûr, après, mais plus question d'inviter tant de monde ni même de fumer dans l'appart tant qu'on ne pourrait pas ouvrir les fenêtres.

Trois mois plus tard, Filou a subi une autre crise, sans cause apparente. Francis l'a aussitôt emmené chez le vétérinaire et nous avons appris qu'un chien pouvait être épileptique.

Il est passé une heure du matin. Francis n'est pas rentré. Je suis fatiguée. Pourtant, en ce moment, même si j'ai eu trois heures de cours à l'université, que j'ai travaillé de quatre heures à minuit à l'hôpital, je n'ai qu'une envie : écrire encore. Je n'ai jamais fait cela, sauf adolescente.

De onze à treize ans, j'ai tenu un pseudo-journal, parce que nous le faisions toutes, mes amies et moi. J'écrivais des platitudes dans un joli cahier rose qui barrait à clé. Tout l'intérêt résidait dans ce petit cadenas qui protégeait mes secrets. Pendant que j'étais à l'hôpital, mes parents ont ouvert sans difficulté la serrure et ils l'ont lu. Le psychiatre aussi. Il y avait un an que je n'y écrivais plus, comme les autres, parce que nous avions décrété que cela faisait vraiment ado. Nous avions dépassé ce cap. Ils n'y ont évidemment rien trouvé de révélateur. Ils ont même dû sourire de ma naïveté et de mes préoccupations risibles.

Quand, plus tard, j'ai appris qu'ils avaient lu ce que j'avais écrit, j'ai été plus humiliée que fâchée. Je comprenais cependant que, devant le tragique de la situation, ils avaient dû chercher par tous les moyens à connaître les raisons de mon geste pour qu'on puisse m'aider en conséquence. À partir de ce moment, je n'ai toutefois plus jamais écrit de journal par peur que, armé d'un très bon prétexte, quelqu'un s'accorde le droit de le lire sans mon consentement.

Ce matin, au déjeuner, Francis m'a vue écrire autrement que je le fais d'ordinaire et, comme je ne lui ai pas révélé la nature de ce que j'écrivais, il se peut qu'il soit tenté de savoir ce que je lui ai caché.

C'est peut-être un souhait de ma part, plus qu'une peur réelle...

Avant, Francis m'aurait suppliée, en jouant, bien sûr, pour que je lui laisse lire ce que j'écrivais.

À présent, il se fiche pas mal de tout ce qui me concerne. C'est pour cela que j'ai été prise au dépourvu quand il m'a demandé ce que j'écrivais. Il n'y avait ni sarcasme ni hostilité dans sa voix. J'ai peut-être raté une belle occasion de briser le mutisme dans lequel nous sommes figés, à présent, comme dans un bloc de glace. Je ne sais pas ce qui se serait passé si je lui avais tendu le cahier et qu'il l'avait lu. Plus rien n'aurait été pareil, il me semble. On ne s'est jamais donné accès à nos territoires secrets, même quand on ne vivait pas dans le silence.

Avant, on parlait tout le temps. De ce qu'on avait vécu dans la journée, de nos cours respectifs, de notre travail, des amis, de ce qui arrivait dans le monde, des causes auxquelles on se ralliait, des manifs, de films, de livres et de disques, de Filou et de ses flatulences, parce qu'il en a eu beaucoup lorsqu'il a commencé à prendre des médicaments contre l'épilepsie, au point que nous ne savions plus où le mettre. Au début, on l'enfermait dans la salle de bains, mais il pleurait tellement qu'on le ressortait vite.

Parfois, on discutait ferme, à propos de n'importe quoi, chacun défendant son point de vue comme si son intégrité ou sa vie avait été menacée. En fait, on se mesurait l'un à l'autre ou on passait notre tension à travers ces petites joutes.

Il arrivait aussi qu'on se mette à délirer, à dire n'importe quoi et à rire comme des fous. C'étaient de beaux moments, comme quand je me retrouvais à la table, le soir, avec mes parents, avant que je fasse tout sauter. Ce qui s'y passait était totalement différent, mais je ressentais le même sentiment de bien-être, de ne pas être seule et d'être du bon bord.

Je ne sais pas ce qui s'est passé, mais je ne reconnais plus Francis et je ne retrouve plus ce qu'on était ensemble.

Qu'est-ce qu'on était « ensemble », en fait ? Qu'est-ce qu'on est ?

Un couple, c'est l'évidence même. On l'est devenus très rapidement après notre rencontre, il y a presque trois ans, mais on a toujours refusé de l'admettre.

Le mot « couple » est tabou pour Francis. Il l'était aussi pour moi. On a toujours préféré dire qu'on est des colocs, même si on reste vraiment ensemble, qu'on partage le même lit et tout et tout.

J'ai rencontré Francis lors d'une manif où on réclamait plus de logements sociaux et la sauvegarde de certains quartiers. Je faisais partie du comité de mobilisation de mon cégep. Je n'étais pas du tout une militante acharnée, mais je m'intéressais de plus en plus à ce genre de question. Je venais d'ailleurs d'être acceptée en service social à l'université.

À la fin de la manif, je me suis retrouvée, pour ainsi dire par accident, à participer à un sit-in qui a duré trois jours. On était douze, dont trois filles. On occupait un immeuble que la Ville voulait vendre à des promoteurs qui projetaient de le démolir pour construire des condos de luxe. Nous, on voulait que la Ville le transforme en coopérative d'habitation.

Au début, je me sentais mal à l'aise, pas à ma place avec ces jeunes un peu plus vieux que moi qui se connaissaient tous et dont le discours social était beaucoup plus articulé que le mien. Quelques-uns, comme Francis, étaient à l'université, en socio, en anthropo ou en sciences po. D'autres avaient abandonné leurs études pour s'impliquer plus activement dans des organismes communautaires.

C'est Francis, que je ne connaissais alors pas du tout, qui m'avait entraînée là, dans le feu de l'action, probablement parce qu'on s'était plu au premier contact, lors de la manif. Il ne me l'a jamais dit clairement, mais je crois que c'est cela. Les autres squatteurs étaient plutôt réticents à ma présence inopinée, mais ce n'était pas le moment de créer une division dans le groupe.

Peu à peu, pendant l'occupation, j'ai retrouvé des sensations que j'avais vécues lors de ma fugue, mais plus fortes encore. Une sorte d'euphorie et de solidarité intenses qu'on n'éprouve pas dans la vie ordinaire. Ces trois jours ont été parmi les plus beaux de ma vie.

Même si je ne le lui ai jamais avoué, je suis rapidement tombée amoureuse de Francis. Mais pas seulement de Francis, de son groupe, aussi. Cela allait ensemble.

On a fait l'amour à deux reprises, Francis et moi, pendant le squat, mais il n'était pas question pour autant de jouer au petit couple.

Après non plus, d'ailleurs.

Tout gravitait autour du groupe, des causes qu'il défendait, et les liens particuliers, qui s'y nouaient inévitablement de temps à autre, ne devaient en rien mettre en péril la solidité du noyau et le but commun.

Même lorsqu'on a décidé d'habiter ensemble, Francis et moi, on s'est fait croire, autant qu'aux autres, que c'était pour des raisons pratiques. On se retrouvait en même temps sans bail et sans coloc alors que la crise du logement rendait les apparts rares et chers. Or, un des amis de Francis devait sous-louer son un et demi parce qu'il déménageait dans une autre ville. Cette sous-location était aussi une manière de contrer une hausse du loyer.

On avait découvert une façon acceptable de vivre ensemble sans avoir l'air de vouloir s'isoler pour se fabriquer un petit refuge d'amoureux à l'écart des autres.

Cela nous évitait aussi d'avoir à nous engager véritablement l'un envers l'autre. On se méfiait tous les deux de l'amour.

Francis lançait parfois de petites phrases assassines en voyant des couples se minoucher en public, se susurrer des mots doux, se regarder langoureusement. Sa préférée était :

« Attends d'les r'voir dans queques années ! Ils s'ront pas beaux à voir ! »

On ne s'était jamais parlé des relations qu'on avait vécues avant de se rencontrer et je croyais que ce dépit était lié chez lui à une ou à des expériences amères, comme pour moi. Mais j'ai appris plus tard, d'un de ses amis de l'époque du cégep, que c'était probablement à cause de ses parents.

Son père avait quitté sa mère pour une autre femme alors que lui avait neuf ans. La séparation avait été houleuse et difficile.

Le lien avec son père s'était complètement détérioré après la naissance de son demi-frère, six mois plus tard. Francis ne pouvait supporter le bonheur de son père avec ce que ce dernier appelait sa « nouvelle famille », alors qu'il voyait sa mère se débattre psychologiquement et financièrement pour faire en sorte que la vie continue comme avant.

Sa mère est morte d'un cancer du sein alors qu'il avait dix-sept ans. Son père n'est pas allé la voir une seule fois pendant sa maladie, mais il s'est présenté aux funérailles, où il a cherché à renouer avec son fils. Ce que ce dernier a refusé.

Francis ne parle pas de ce genre de chose. Je l'avais questionné à plusieurs reprises sur ses parents parce que je ne trouvais pas normal qu'il ne les voie jamais et qu'il refuse de dire quoi que ce soit d'eux. Chaque fois, il avait détourné la conversation. Jusqu'au jour où il m'a dit qu'ils étaient morts et que le sujet était clos.

De mon côté, le couple que forment mes parents n'a rien de conflictuel, bien au contraire, mais je ne veux pas leur ressembler.

Mes parents m'ont donné une image du couple, de la famille et du bonheur dont je me méfie. J'ai failli mourir à force d'être heureuse de cette manière. Car j'ai été heureuse, je ne peux le nier, mais c'était du toc, il faut croire. Il devait manquer quelque chose d'essentiel pour que j'en arrive à vouloir me suicider à quatorze ans. Ce n'était pas de l'amour de leur part qui me manquait, j'en avais tout plein. Et ils se sont toujours aimés, à leur manière.

Quoi alors ? Je ne le sais pas encore. Pas clairement, en tout cas.

Je me sentais choyée, portée, protégée dans ce clan que nous formions mais, à l'adolescence, j'ai commencé à avoir la vague impression que ce n'était pas vraiment moi qu'ils aimaient. Ils adoraient une enfant imaginaire qu'ils avaient construite et modelée patiemment selon leur rêve à eux. Et je crois que j'étais très malléable. Je répondais presque toujours à leurs attentes. C'était tellement facile d'être ce qu'ils voulaient, compte tenu de l'adulation et de tous les bénéfices secondaires que j'en retirais.

Ça peut sembler injuste que je dise cela. La plupart des parents essaient probablement d'être des parents parfaits et de tout faire pour que leur enfant soit le plus heureux possible. Je me sens encore coupable de penser ainsi. Comme si je crachais dans la soupe et que je me plaignais alors que mes parents m'ont tout donné. Ma mère m'a déjà demandé si j'aurais préféré être battue. Bien sûr que non. Il fallait toutefois que je sorte de leur rêve, de cet idéal dans lequel ils m'avaient maintenue pour mon bien et pour leur propre satisfaction.

Je sais que je ne suis pas la seule à avoir été surprotégée et enfermée dans une image idyllique. Et il est évident qu'il existe mille autres façons moins radicales de s'affirmer et de prendre son envol que celle que j'ai choisie. Je dis « choisie » parce que, même si j'ai longtemps eu l'impression d'avoir agi aveuglément lors de mon quatorzième anniversaire, je sais maintenant que, à cet instant, j'ai véritablement choisi de ne plus être ce que j'étais, quitte à en mourir.

Sauf que, après m'être coupée symboliquement du clan familial en essayant de me suicider, je me suis aussitôt rendu compte que, seule, je n'étais personne. Je n'existais pas par moi-même intérieurement. J'étais une maison vacante, inhabitée, sans âme. Comme si, jusque-là, je n'avais survécu que parce que j'avais été branchée artificiellement à mes parents. Ils avaient vécu à ma place. Ils avaient réparé leur propre enfance en faisant de la mienne un supposé paradis.

J'avais l'impression d'avoir à partir de zéro, que tout était à construire pour que je puisse devenir non pas même « quelqu'un », mais juste une personne capable de ressentir et de penser par elle-même. Cela n'était évidemment pas vrai. Je vois aujourd'hui tout le bel héritage que mes parents m'ont légué et sur lequel je me bâtis peu à peu, mais j'ai mis du temps à le constater et à l'admettre.

Je me retrouvais face à moi-même, et je n'étais rien.

Sans m'en rendre compte, je crois que ce que j'ai retrouvé, avec Francis et le groupe, c'est une sorte de famille très semblable au milieu de mon adolescence, bien que fort différente en apparence. Un monde fermé, dynamique et solidaire, qui me sécurisait par la force de ses convictions et de son sentiment d'être du bon bord des choses, d'avoir raison.

Dans ce nouveau milieu, où j'ai fini par être acceptée, je devais respecter des règles tacites toutes aussi contraignantes que lorsque j'étais adolescente. Je devais m'habiller, me comporter et penser de telle façon sous peine d'être contestée, méprisée, exclue.

Les valeurs préconisées étaient à l'opposé de celles, superficielles et futiles, de mon adolescence. Elles étaient beaucoup plus près de ce que je voulais vraiment, mais elles exigeaient la même soumission indéfectible.

Après y avoir succombé, je devais désormais lutter contre les pressions de la publicité et de la société de consommation, m'habiller dans des friperies, habiter un quartier défavorisé, refuser l'argent de mes parents sauf pour payer mes études, lutter contre la mondialisation, le pouvoir et les inégalités sociales. Il me fallait participer à des manifs, assister à des réunions d'associations communautaires, de coopératives et d'OSBL. Même si j'étais parfois épuisée et que j'avais des cours le lendemain matin ou que je travaillais à l'hôpital, je devais passer des soirées et parfois des nuits entières à discuter avec le groupe de la société, de la façon de faire bouger les choses, de notre implication.

Je découvre, en écrivant tout cela, qu'il y avait aussi un autre point commun, beaucoup plus important.

Dans ma famille et avec mes amies du secondaire, on parlait beaucoup. Avec Francis et le groupe aussi.

Nous étions, dans un cas comme dans l'autre, intarissables. Mais jamais, au grand jamais, quelqu'un ne parlait véritablement de lui, de ce qu'il ressentait, de ses doutes, de ses peurs, de sa différence par rapport aux autres, de ses divergences. Parler de soi et seulement en son nom était tabou. Comme si c'était menaçant de n'être que soi-même et d'affirmer son individualité, ses sentiments, ses inquiétudes, sa fragilité. Comme si on allait se retrouver tout nu, devant les autres, sans justification valable, sans appui, seul à défendre la légitimité de sa propre existence, de ses désirs, de ses angoisses.

Au fond, entre ma tentative de suicide et ma rencontre avec Francis et son groupe, je n'ai été qu'une solitaire qui se cherchait une appartenance.

Au secondaire, j'allais dans un collège privé. Mes deux dernières années ont été très difficiles parce que j'étais stigmatisée aux yeux des autres. Seule Justine est restée mon amie et je m'y suis accrochée comme à une bouée. Nous étions toujours ensemble, comme des siamoises.

Ses parents n'ont pas voulu qu'elle s'inscrive au même cégep que moi. Ils n'avaient pas trouvé rassurant qu'elle renonce à son groupe d'amies, qui avait aussi été le mien, pour se tenir uniquement et toujours avec moi après ma tentative de suicide. Ils avaient peur que j'entraîne leur fille dans je ne sais quoi de malsain et d'obscur. Ils ont même cru un certain temps que mes problèmes étaient liés à une crise d'identité sexuelle et que j'étais lesbienne. Ce qui n'était pas le cas même si on marchait souvent bras dessus, bras dessous et qu'on se collait sous la même couverture pour écouter des films.

Pendant la première session, je me suis sentie perdue sans elle.

J'étais contente d'être sortie du milieu étroit où tout le monde connaissait ma petite histoire et j'appréciais la liberté nouvelle qui s'offrait à moi dans ce milieu moins strict. Mais je ne savais pas comment en profiter. Je m'étais repliée, les dernières années, et j'avais perdu tant d'assurance que je n'arrivais pas à aller vers les autres.

Ce n'est qu'à la session suivante, quand j'ai retrouvé des gens qui avaient été avec moi dans des cours à l'automne, que des liens ont commencé à s'établir.

En février, trois de ces nouveaux copains m'ont dit qu'il allait y avoir un rave très bientôt. Je n'avais jamais participé à un rave, mais j'en rêvais depuis longtemps. Cela faisait partie des mondes parallèles qui me fascinaient, adolescente, mais auxquels je n'avais pas accès.

J'avais vraiment envie de vivre cette expérience mais, en même temps, j'avais très peur. Toutes les mises en garde de mes parents refaisaient surface.

On en a parlé, Justine et moi, et on a décidé d'y aller ensemble. Ça nous excitait et nous terrorisait à la fois. Nous allions sortir véritablement pour la première fois de notre univers aseptisé. Nous étions allées dans des bars, certes, nous avions fumé et nous avions vécu plein de petites aventures, mais les raves représentaient tout autre chose pour nous, de primitif et de tribal.

J'ai vécu ce premier rave comme une véritable initiation et j'ai attendu les suivants avec une impatience qui m'étonnait moi-même.

Justine n'y est venue que deux fois. Après, elle est tombée follement amoureuse et ça ne l'a plus intéressée.

Je ne m'attendais pas à vivre des sensations aussi exaltantes que celles que j'ai ressenties dans ces raves. Elles correspondaient exactement à ce dont j'avais besoin à ce moment.

À part Justine, je n'avais pas de véritables amis et je n'avais jamais eu d'amoureux. Je demeurais toujours chez mes parents où chacun de nous avait fini, après la dépression de ma mère, par reprendre sa place dans la comédie de la gentille famille, mais avec beaucoup moins de conviction. Nous faisions semblant que tout était rentré dans l'ordre, mais nous n'y croyions plus. Mes parents étaient restés près l'un de l'autre. Ma mère essayait parfois de se rapprocher de moi, mais je continuais de me sentir coupable et presque étrangère à la famille que nous avions formée.

J'ai plongé dans les raves comme dans un océan d'amour. Cela peut sembler tout à fait ridicule de dire cela et je sais, à présent, que c'était illusoire, mais je l'ai vécu ainsi.

Ce n'était pas sexuel et ce n'est pas avec des personnes en particulier que j'ai éprouvé cet amour. Au contraire. J'avais l'impression que les frontières de mon corps s'abolissaient et que les limites entre les autres et moi n'existaient plus. On n'était plus prisonniers de nos identités restreintes et contraignantes. On s'absorbait, on se fondait, se confondait tous ensemble. On bougeait comme un seul corps au rythme d'une musique qui était le cœur de cette nouvelle entité qu'on formait. Les lumières hallucinantes contribuaient à faire de nous un seul grand être zébré d'éclairs, d'une beauté surréelle, électrisante. Cette fusion était si enivrante que je voulais qu'elle dure toujours.

Pendant un certain temps, j'ai trouvé dans ces raves un réconfort indescriptible.

Puis, progressivement, après chacune de ces nuits où le temps s'arrêtait, ma retombée brutale dans le réel est devenue de plus en plus difficile à vivre. J'arrivais mal à me remettre de tant d'intensité. Ma vie quotidienne me semblait désormais tellement fade et insipide à côté de ces moments d'exaltation. Et, surtout, la solitude que je voulais tant fuir, en participant à ces fêtes frénétiques et ensorcelantes, fondait sur moi avec plus de lourdeur encore, après.

Je ne voyais presque plus Justine, qui était captive d'une passion aveugle et dévorante, la première d'une série. Elle passait continuellement de l'extase au désespoir. Quand on s'appelait, elle était soit totalement euphorique ou en pleine détresse. Dans un cas comme dans l'autre, elle parlait sans arrêt. Elle m'étourdissait. Je n'aimais pas toujours ce qu'elle me racontait. Loin de là ! Il m'arrivait d'avoir très peur pour elle. Mais rien de ce que je pouvais lui dire à ce sujet n'avait la moindre portée. Elle l'aimait ! Parfois, elle se mettait en colère contre moi, allant même jusqu'à me dire que si je voulais tant qu'elle quitte son chum, c'était parce que j'étais jalouse et que ma vie était plate à côté de la sienne.

Effectivement, entre deux raves, j'avais l'impression qu'il ne se passait rien dans ma vie, que tout était d'une banalité navrante. Je ne pouvais certes pas envier cet amour insensé que Justine vivait et qui la rendait dépendante d'un homme possessif et violent, mais j'avais réellement hâte que ma vie soit un peu plus pimentée.

J'ai eu ma première relation sexuelle avec Stef, l'un des copains qui m'avaient fait découvrir les raves auxquels j'étais en train de devenir accro. Même si je n'étais pas amoureuse de lui, je trouvais qu'il était grand temps que je sache de quoi tout cela retournait. Je me sentais parfois stupide et arriérée quand il était question de sexualité. Je connaissais très bien le sujet, mais je n'avais strictement aucune expérience. Ce que je ne disais évidemment pas. Seule Justine le savait. L'occasion s'est enfin présentée.

J'ai été déçue.

Je m'attendais à tellement plus. Justine m'en parlait avec tant de fougue. Pour elle, les raves n'étaient rien à côté de ce qu'elle ressentait en faisant l'amour. Il faut dire qu'elle était amoureuse et que, quand je l'ai été à mon tour, les choses ont été très différentes.

Je ne me suis fait aucun véritable ami pendant cette période. J'avais beaucoup de copains, mais peu de copines. Mon expérience du secondaire m'avait rendue méfiante face aux filles et à leurs petites cliques.

J'ai continué d'avoir des relations sexuelles avec Stef un bout de temps, puis j'en ai eu avec d'autres gars. Je sortais avec eux quelques semaines, tout au plus, parfois pas du tout.

Il y avait une grande curiosité en moi par rapport à la sexualité. J'avais l'impression d'avoir commencé très tard et d'avoir du temps à rattraper. Mais, surtout, j'avais des doutes et beaucoup d'inquiétudes à mon propre sujet. Je me disais que je ne devais pas être normale de ne pas trouver le sexe plus excitant que cela. Qu'un jour, le grand flash allait pourtant se produire pour moi aussi. Je ne parle pas d'orgasme. J'en avais assez souvent. Mais j'en avais aussi avant, à tout coup, toute seule, quand je me masturbais.

Avec certains, c'était agréable, amusant même parfois, mais sans être la fin du monde. Avec d'autres, c'était plutôt laborieux, plein de malaise ou de malentendus. On n'arrivait pas à trouver les gestes naturels, comme si une part de nous demeurait en retrait, témoin de chacune de nos contorsions et de notre pantomime.

J'avais souvent l'impression de marcher sur des œufs dans ces moments plus intimes, d'avoir à faire extrêmement attention à mes paroles ou à mes gestes pour ne pas être taxée d'inhibée ou pour ne pas complexer le copain avec lequel j'étais. Ils étaient tellement fragiles sur ce point. Je m'en étais vite rendu compte.

Pour la plupart, la sexualité semblait consister principalement en des actions précises dans le but de déclencher des réactions déterminées. Action-réaction, action-réaction, action-réaction. On pourrait croire que cela était donc très simple, mais ce n'était pas du tout le cas.

Ce qui semblait fonctionner à merveille dans les films pornos qu'ils avaient vus, et qui semblaient souvent être leur référence de base, ne produisait pas les mêmes effets dans la réalité.

Au départ, juste le fait d'arriver à avoir et à maintenir une bonne érection était déjà un défi de taille pour certains. Pour d'autres, éviter l'éjaculation précoce constituait une obsession de tout instant.

Si, à leur grand bonheur, ils bandaient dur et longtemps, le summum, pour la plupart de ceux-là, était de me « piner » *ad nauseum*, en croyant que ça me plaisait vraiment. Leur dire carrément d'arrêter, parce que la « réaction » à leur « action » n'était pas du tout celle qu'ils imaginaient, bien au contraire, était plutôt délicat. J'essayais d'user de diplomatie et de stratégie pour passer à autre chose de plus intéressant pour moi ou, à tout le moins, pour que cesse ce que j'appelais, dans ma tête, « l'acharnement thérapeutique ».

Je détestais quand un gars décidait de m'exciter et de me faire jouir à tout prix, à sa manière — parce qu'il était sûr de l'avoir puisque cela fonctionnait dans les films —, en me donnant des coups de bélier répétés comme s'il cherchait à enfoncer une porte, en me pétrissant les seins à m'en faire mal, en pinçant et suçant mes mamelons presque au sang.

Je devenais impatiente quand je m'apercevais qu'un gars ne caressait pas mon sexe pour le simple plaisir, avec ses doigts et sa bouche, mais parce qu'il avait décidé, avec les meilleures intentions du monde, probablement, qu'il allait me donner des orgasmes comme je n'en avais jamais eu, que j'allais en gémir à mort et me tordre de plaisir, le supplier d'arrêter parce que c'était trop de jouissance, que j'allais en devenir folle.

C'était trop, en effet! D'irritation physique réelle! D'agacement! D'exaspération mentale! Mais pas de jouissance! Pour que cesse ce tripotage obstiné, ce fouillage systématique, ces frottements mécaniques qui finissaient par être douloureux et ces succions beaucoup trop fortes pour être agréables, j'ai fini par apprendre à faire rapidement semblant de jouir, plusieurs fois de suite, dans ces moments. Rien d'autre de ce que j'avais essayé ne semblait pouvoir arrêter l'action une fois qu'elle était enclenchée, sinon la simulation de la réaction attendue.

Parfois, j'étais plus directe, mais toujours avec des pincettes quand même. J'avais peur de passer autant pour une coincée que pour une castrante. J'arrivais à mettre mes limites quand c'était vraiment important pour moi. Pour le reste, je laissais souvent aller et je jouais le jeu pour ne pas faire de vagues.

J'avais un tas d'expressions dans ma tête pour désigner ce qui se passait au moment même où cela se passait, ce qui me montre bien à quel point je restais consciente même quand je perdais supposément la carte.

Je ne me donnais pas. Je n'y arrivais pas. Les gars non plus. On se cherchait, je crois, maladroitement, sans réussir à se trouver. Cela en était parfois touchant, parfois désolant. Malgré les apparences, chacun restait tout seul dans sa bulle étanche, avec ses désirs, ses fantasmes, ses espoirs, sa jouissance, mais aussi avec ses craintes et ses déceptions secrètes.

Paradoxalement, alors qu'on était détendus et à l'aise dans la vie de tous les jours, dès qu'on passait à quelque chose de sexuel, on entrait dans une sorte de monde crispé où il fallait respecter un mode d'emploi, répondre de façon convenue. Si je ne gémissais pas ou pas assez, par exemple, l'autre s'inquiétait, sur sa virilité, je suppose, et sa capacité à faire jouir. Alors, il s'acharnait de plus belle sur moi sans me poser de questions et sans que j'ose dire que ça ne servait à rien d'en remettre, que je trouvais déjà le temps long et que tout ce que je souhaitais, maintenant, c'était qu'il vienne et qu'on en finisse.

Au fond, il y avait souvent beaucoup d'angoisse dans ces relations éphémères, de la maladresse et de la solitude.

Après, lorsque je me retrouvais seule, il m'arrivait de pleurer un court instant. Ce n'étaient pas des sanglots, juste des larmes qui roulaient lentement sur mes joues, une petite tristesse de rien du tout et un léger dégoût sans mots qui flottaient en moi quelques heures, puis s'évanouissaient.

Souvent, la nuit qui suivait, je faisais à peu près toujours le même rêve dans lequel je cherchais frénétiquement quelque chose que j'avais perdu. Mais très vite, j'oubliais ce que j'avais perdu et je passais le reste du rêve à chercher, plus désespérément encore, ce que je devais chercher. Il me semblait alors que c'était si important.

Puis, un soir, je me suis retrouvée chez un gars de mon cours de philo avec lequel je devais préparer un bref exposé sur une question-choc. Depuis le début de la session, il me troublait, il me dérangeait, sans que j'en laisse rien voir. C'est lui qui m'avait demandé qu'on fasse un tandem pour cet exposé.

Il était particulièrement beau et sûr de lui. C'est peut-être cette assurance qui m'a attirée le plus chez lui, même si, depuis ma tentative de suicide, je fuyais les gens imbus d'eux-mêmes et en apparence sans faille. Il faut croire que le réconfort, bien que fallacieux, de cette confiance en soi à toute épreuve me manquait. Je ne sais trop.

Ce type ne ressemblait en rien aux autres gars avec lesquels je me tenais. Ce n'était pas le genre à aller dans les raves mais plutôt dans les discothèques.

On a commencé à travailler à l'exposé mais, très vite, on est passés à autre chose. C'est lui qui a pris l'initiative. La rapidité avec laquelle je me suis retrouvée nue m'a stupéfaite.

Jusque-là, malgré toutes les gaucheries, l'embarras et le manque de communication pendant les relations sexuelles que j'avais vécues, j'avais toujours eu l'impression de rester une personne aux yeux de l'autre. Pas avec lui.

Sans préambule et avant même que j'aie le temps de mouiller, il m'a pénétrée et s'est mis à jouer les marteaux-piqueurs. Comme si je n'avais pas été là, que je n'avais rien eu à voir là-dedans !

Tout allait si vite que j'avais du mal à comprendre ce qui m'arrivait. J'étais sur le lit de ce type en train de me faire défoncer, sans condom. J'étais sidérée, incapable de dire ou de faire quoi que ce soit.

Il ne me regardait pas. Il fixait mes seins et tenait solidement mes hanches pour mieux contrôler ses entrées et ses sorties rapides. Ses mâchoires étaient crispées. Ses lèvres retroussées laissaient voir ses dents. Il avait l'air enragé. D'un chien enragé !

Puis, tout aussi rapidement, il s'est retiré et il m'a retournée comme une crêpe. J'ai cru qu'il allait recommencer à me pilonner, mais par-derrière. Ce n'était pas cela.

Il a cherché à me sodomiser. J'ai dit: « Non! Pas ça! » Ma voix était éteinte. J'ai répété trois fois, de plus en plus fort. Ça faisait mal et je n'avais pas du tout envie de vivre pour la première fois cette expérience avec lui ni de cette façon. Il a continué à essayer de me forcer, me retenant si fermement avec sa main passée sous mon ventre que j'en ai eu des bleus.

Je me suis débattue en lui donnant des coups de coude dans la poitrine et j'ai fini par réussir à me jeter par terre, puis à me lever. J'ai commencé à m'habiller en vitesse. Je tremblais de tout mon corps.

Il s'est approché de moi, m'a enlevé les vêtements des mains et m'a empoigné la nuque en disant: « Wooooo! Wooooo! Correct! Correct! Pas dans l'cul! C'correct! Mais tu vas quand même pas m'laisser d'même! »

Il m'a saisi les épaules et il y a exercé une telle pression que je me suis retrouvée à genoux devant lui. Il a aussitôt fourré son sexe dans ma bouche. Il tenait ma tête en s'agrippant solidement à mes cheveux et il la tirait vers lui par saccades.

J'avais déjà fait des pipes, mais jamais sous la contrainte, et je ne supportais pas qu'on tienne ma tête ainsi. C'est moi qui devais donner le rythme et décider jusqu'où je pouvais et voulais aller. C'était quelque chose qui exigeait qu'on me laisse les coudées franches. La limite entre le plaisir que je pouvais en tirer et le sentiment d'être au service de l'autre, d'être dominée par lui, était mince. Moi, il me semblait que la fellation était un moment de vulnérabilité pour les deux et que, pour en jouir vraiment, il fallait une certaine dose de confiance et de respect de part et d'autre.

Or, ce type s'enfonçait si profondément dans ma gorge que j'ai vite eu des haut-le-cœur. J'étouffais. Il a continué quand même, jusqu'à ce qu'il m'éjacule dans la bouche et sur le visage.

J'ai vomi pendant une éternité sur son tapis, sur son divan, sur son lit. Je voulais en mettre partout. Il me suivait en criant : «Hé! Hé! T'es complètement folle! Va dégueuler dans salle de bains!»

Pour terminer en beauté, je lui ai vomi dessus. Il m'a giflée. Je l'ai giflé à mon tour avec une spontanéité et une violence dont je ne me savais pas capable. Il a senti, je crois, que je pourrais le tuer s'il ne s'effaçait pas.

Je me suis lavé la bouche et la figure, je me suis rhabillée, j'ai ramassé mes affaires et je suis partie.

Je ne voulais plus retourner à mon cours de philo.

J'y suis quand même retournée. Et j'ai fait l'exposé, seule. Il ne s'est pas présenté. Quand je l'ai revu, au cours suivant, je n'ai pas baissé le regard. C'est lui qui l'a fait.

J'ai été des mois sans avoir de relations sexuelles. Je n'en avais plus du tout envie, même avec mes copains.

Et j'ai cessé d'aller dans des raves.

Tout sonnait désormais creux et faux.

Pour oublier tout ça, je me suis plongée à fond dans mes études. Il fallait entre autres que je me décide à choisir une orientation.

Rien ne me tentait ou ne s'imposait vraiment à moi. Des copains savaient, parfois depuis longtemps, qu'ils voulaient devenir policier, informaticien, médecin ou cinéaste. Moi, rien ne m'allumait et cela me faisait peur de penser que ce que j'allais choisir, là, sans véritable élan, allait déterminer et accaparer une grande partie de ma vie.

J'avais de bonnes notes. Je m'étais inscrite en sciences de la nature pour ne pas me fermer de portes. Mais il s'était vite avéré que les sciences pures et appliquées et les sciences de la santé ne m'intéressaient pas du tout comme perspective.

Ce qui m'a fait me décider, c'est qu'un de mes copains en techniques policières m'a amenée à l'un de ses cours de stratégies d'interventions. Je lui avais raconté que, pendant ma fugue, j'avais vu des travailleurs de rue en action et que leur approche m'avait fascinée.

Cela a été déterminant. Je ne voulais pas devenir policière, mais je voulais être en contact avec des gens en difficulté, des jeunes, si possible, des marginaux, des poqués, des mal vus « qui ne l'ont pas » aux yeux des gens propres propres comme mes parents et bien d'autres que je connaissais. Je me suis renseignée et j'ai décidé de me diriger en service social.

Après avoir pris cette décision, je me suis sentie soulagée. Presque heureuse.

C'est peu de temps après que je suis tombée amoureuse. Follement.

Il s'appelait Michael et il avait vingt-neuf ans. C'était mon prof d'éduc.

Mais ça, c'est une autre histoire.

Il est plus de deux heures du matin et Francis n'est pas rentré.

D'ordinaire, quand cela se produit, je suis toute bouleversée et je pleure. Cette nuit, je me sens bien, seule. Je crois même que, s'il arrivait, cela me dérangerait.

Je vais sortir Filou avant d'aller dormir.

Chapitre 3

Justine est mon amie et elle le restera toujours. En fait, c'est plus qu'une amie, c'est ma sœur. Pas pour vrai, mais c'est comme si.

Des amis, on peut s'en éloigner pour de bon, même sans heurts, par simple négligence. Ou parce qu'on n'a pas le courage de faire éclater une crise pour régler certaines tensions. Ou parce que nos routes s'éloignent de façon naturelle. Des amis, ça peut aussi nous rejeter, parfois brutalement, parce que ce que l'on devient ne correspond plus à l'image qu'ils se font de nous et dans laquelle ils veulent nous garder enfermé. On peut aussi s'accrocher sur un détail qui fait soudain remonter tout un flot de non-dit, d'animosité contenue, de rivalité secrète, de fiel corrosif.

Par contre, une sœur, à la limite très différente de soi, ça reste là, jusqu'à la mort, même si on se bouscule, qu'on se querelle ou qu'on prend de la distance à l'occasion. C'est du moins ce que j'imagine.

Nous sommes assurément différentes, Justine et moi. Pendant nos deux dernières années, au secondaire, j'ai cru qu'on était pareilles. Elle avait joué le même jeu que moi, avant, et elle m'avait suivie dans ma déroute mais aussi dans mon affranchissement.

Moi, j'avais été exclue à cause de ce que j'avais fait. Elle, elle l'a été parce qu'elle est restée près de moi alors que tout le monde me regardait comme une malade mentale.

Justine est une sentimentale et, depuis que nous nous sommes dissociées du groupe de copines de notre adolescence, elle parle beaucoup de ce qu'elle ressent.

Moi, je parle beaucoup, mais rarement de ce que je ressens, même avec elle. D'ailleurs, il m'arrive de me demander si je ressens quelque chose. Il y a bien des bouillonnements en moi, mais ils refroidissent rapidement sitôt qu'ils arrivent à ma conscience. Comme une coulée de lave brûlante qui se pétrifierait en entrant dans une mer glacée.

J'ai l'impression que je vis plusieurs de mes émotions par procuration, à travers Justine.

Elle me dit tout. Et dans ce qu'elle me dit, je me retrouve souvent. Mais je ne l'avoue pas. De telle sorte que j'ai l'air de quelqu'un qui ne se fait pas prendre comme elle par les sentiments dans des histoires qui n'ont pas d'allure.

J'ai l'air froide, comparée à elle, presque insensible. On pourrait croire que rien n'arrive à me déstabiliser vraiment. En fait, c'est que je n'en parle pas et que j'essaie de faire comme si de rien n'était. Si on n'en parle pas, non seulement aux autres mais surtout dans sa tête, si on balaie cela sous le tapis, c'est comme si ça n'existait pas. Ce sont mes parents qui, jusqu'à mes quatorze ans, m'ont appris à penser ainsi. Jamais avec des mots, mais dans leur façon d'être.

Dans mon entourage actuel, à part mes parents, Justine est la seule à savoir que j'ai basculé dans le noir, un jour. Elle, elle était là au moment où cela s'est passé et elle est là depuis. Je ne me suis jamais répandue en confidences à ce sujet avec elle, mais elle sait que je ne suis pas invulnérable comme je suis portée à le faire croire. C'est d'ailleurs ce qui l'a fait se rapprocher de moi. Sous ma cuirasse, elle a vu qui j'étais.

Justine m'aide à sortir peu à peu de mon mutisme intérieur et de ma façon de nier ce qui se passe en moi. Elle est très patiente.

De son côté, elle en met beaucoup, il faut l'avouer. Elle navigue tout à fait à l'autre extrême. Elle me demande parfois de la ramener un peu sur terre parce que, quand ses sentiments l'emportent comme dans une tornade, elle perd toute mesure et ses retombées sont souvent fracassantes.

Ensemble, on arrive à créer un certain équilibre.

La seule fois où je me suis vraiment ouverte à elle et où je lui ai tout dit, c'est quand j'ai été amoureuse de Michael. Je n'arrêtais pas de l'appeler pour lui dire tout ce que je découvrais. Je comprenais enfin ce dont elle m'avait tant parlé, avant, et dont j'ignorais tout, alors.

Elle, elle traversait une peine d'amour catastrophique dont elle arrivait difficilement à se sortir.

Moi, j'étais tellement transportée par ce que je vivais que je ne me suis pas rendu compte que je lui faisais plus de mal encore en lui racontant tout.

Il faut dire que, pour la première fois, la seule d'ailleurs jusqu'à maintenant, j'étais totalement obnubilée par un homme et que je découvrais en même temps mon corps et mon cœur, toute l'intensité qu'ils recelaient, mais aussi le bonheur d'être précieuse, unique, pour un homme.

Michael, c'était un dieu, à mes yeux, mais aussi à ceux de beaucoup d'étudiantes.

Son approche m'a complètement déroutée, déboussolée. À la fin d'un cours, il m'a prise à part pour me dire, sans entrée en matière ni détour, qu'il n'arrivait plus à dormir ni à rien faire comme avant, qu'il était obsédé par moi, qu'il était tombé amoureux de moi, malgré lui. Il a posé furtivement un baiser sur mes lèvres et il est parti, coupable et malheureux, en disant : « Je suis ton prof, je n'ai pas le droit de faire cela. Excuse-moi. Oublie tout ça, d'accord ? »

Je suis restée plantée là, complètement sonnée.

Ce prof faisait partie de mes fantasmes, comme il devait faire partie de ceux de bien des filles de ma classe. Mais jamais je n'aurais cru qu'il puisse éprouver quelque intérêt à mon égard, encore moins de tels sentiments. Depuis le début de la session, j'avais plutôt l'impression qu'il ne me voyait même pas, que je me confondais avec les murs. Après son aveu saisissant, je me suis dit qu'il avait dû mettre volontairement une distance entre nous, feindre de m'ignorer pour essayer de résister à cet élan qui le poussait vers moi.

Pendant les jours qui ont suivi, je n'ai pas cessé de penser à lui. Je ne me reconnaissais plus. Il m'avait ensorcelée. J'étais sous le charme.

Il avait touché des fibres sensibles. Il m'avait élue, moi, parmi toutes les autres, sans que je fasse quoi que ce soit pour lui plaire, seulement en étant moi. De plus, il avait l'air si désarmé par cet amour interdit, qui semblait irrépressible en lui, que je ne pouvais douter qu'il soit réel.

Au début de la semaine suivante, il m'a convoquée à son bureau. Il voulait s'excuser de nouveau et me dire qu'il regrettait de ne pas avoir réussi à garder ses sentiments pour lui. Il ne fallait pas que cela perturbe ma session. De plus, il ne voulait pas que ce qu'il ressentait à mon égard transparaisse et mette en péril sa carrière. De toute façon, il avait fait un fou de lui en m'avouant son amour alors que je ne ressentais probablement rien à son égard et que je devais même m'être moquée de lui avec mes amies.

En quelques phrases, il m'a eue. Cinq minutes plus tard, on s'embrassait à bouche que veux-tu.

Moi, j'ai fermé les yeux, mais ceux de la Belle au bois dormant, que j'abritais à mon insu, se sont ouverts. Elle se réveillait...

Il faut dire que cet homme avait une connaissance étonnante des jeunes femmes et des contes de fées qui les avaient nourries, petites filles. Il savait ce qui les faisait s'ouvrir, se donner, s'abandonner tout entières. Il savait leur parler, les toucher, les envelopper de sa présence, de sa voix pour obtenir ce qu'il attendait d'elles. C'est un art qu'il avait affiné au fil de très nombreuses expériences. Je l'ai appris plus tard.

C'était difficile à deviner pour moi, à ce moment, parce que les caresses et les mots d'amour dont il me couvrait, dans le plus grand secret, semblaient taillés sur mesure pour moi. Il était extrêmement attentif au point de connaître mon corps mieux que je ne le connaissais moi-même et de deviner mes envies secrètes et même mes peurs.

Nous faisions l'amour debout, la plupart du temps, dans son bureau. Cela se passait toujours au cégep, quand les cours étaient terminés ou la fin de semaine. Je ne pouvais aller chez lui, supposément parce qu'il partageait son appartement avec l'une de ses sœurs et son petit garçon de trois ans, et que personne ne devait nous voir ensemble. En réalité, c'était sa femme et son fils.

Sans rien brusquer, et pourtant très rapidement, il est arrivé à me faire goûter des plaisirs insoupçonnés. Cela ne tenait pas à des performances sexuelles extravagantes, mais à de toutes petites choses qui, mises ensemble, changeaient tout.

Ainsi, à l'instant où il me pénétrait, il relevait délicatement ma tête en glissant l'une de ses mains sous mon menton pour que je le regarde dans les yeux, ce qui me troublait au plus haut point.

Il ne caressait pas seulement mes seins et mon sexe, comme les autres avant lui. Il parcourait très lentement tout mon corps de ses doigts, de son visage, de sa bouche. Pendant qu'il m'explorait comme un territoire vierge, il voulait que je ferme les yeux et que je m'absorbe dans ses gestes sur ma peau pour que j'en capte les moindres émois.

Chaque petite zone, même la plus insignifiante, devenait tout à coup importante et se révélait frémissante, vivante, alors que j'avais à peine conscience de son existence, avant.

Il m'a aussi appris à découvrir son corps de cette manière. Au début, j'allais trop vite. J'étais intimidée et je ne savais trop comment agir. Il me disait de ralentir, de ne pas m'occuper de lui, de m'attarder sur chaque parcelle de son corps, de la regarder de près, de la flairer, de la palper, d'en sentir la texture en y faisant glisser le bout de mes doigts, mes joues, mon nez, mes lèvres, ma langue. Peu à peu, cela est devenu absolument grisant pour moi. Ses épaules, son dos, la chute de ses reins et la naissance de ses fesses rondes et fermes sont devenus mes domaines de prédilection. Aussi son sexe, à la fois tendre et dur, qu'il m'abandonnait, qu'il me laissait regarder, découvrir, caresser comme j'en avais envie, à mon rythme, à ma guise.

Quarante-huit jours plus tard, très précisément, le rêve a pris fin comme il avait commencé, abruptement. Michael m'a fait croire que nous avions été vus à deux reprises par l'un de ses collègues qui le menaçait de tout révéler à l'administration s'il ne mettait pas fin, tout de suite, à sa liaison avec moi, l'une de ses étudiantes, mineure, en plus. Il risquait non seulement de perdre son emploi et de ne plus jamais pouvoir être réembauché ailleurs, mais aussi la prison. Et je risquais de me retrouver devant un tribunal en train de l'accuser sous la pression de mes parents et de la direction du collège. Tout ce que nous avions vécu de beau serait étalé sur la place publique, souillé. Il ne fallait plus que je vienne à son bureau ni même qu'on se parle.

Il avait l'air totalement défait.

Je l'ai cru. Et je lui ai juré que je ne ferais rien qui pourrait lui nuire. De son côté, il m'a juré que, lorsque j'aurais quitté le cégep, nous allions nous retrouver et vivre notre amour au grand jour. Nous pleurions tous les deux.

Les jours qui ont suivi, j'étais triste mais pas du tout abattue. Au contraire. Il me semblait que je vivais quelque chose de grand, de déchirant, comme dans certaines pièces de théâtre que j'avais vues où les amants sont séparés par les principes rigides d'une société cruelle. Or, notre amour allait être le plus fort. J'en étais sûre.

À la fin du cinquième jour, je n'en pouvais cependant plus. Michael me manquait tellement que j'ai attendu l'heure à laquelle nous nous retrouvions auparavant et je suis allée à son bureau. Son auto était encore dans l'une des rues voisines, j'avais vérifié. Il ne la plaçait pas dans le stationnement de l'établissement pour éviter que quelqu'un puisse savoir qu'il était encore au cégep après les cours ou la fin de semaine, quand nous avions rendez-vous. Je me suis dit que, contre toute raison, il devait m'attendre et espérer que je viendrais malgré les dangers et ma promesse de me tenir à l'écart.

Je me suis approchée très près de la porte de son bureau mais, juste au moment où j'allais faire notre petit signal, j'ai entendu des murmures que je reconnaissais très bien, de l'autre côté.

Je me suis éloignée sans bruit et je suis allée me mettre à l'abri dans un renfoncement du couloir où il y avait une fontaine, pour faire le guet.

Je n'arrivais plus à penser. J'avais l'impression que j'étais en train de chuter de dix étages, mais sans que mon corps arrive à atteindre le sol et à s'y fracasser pour mettre fin à cette descente vertigineuse. Je tombais, je tombais, sans fin, le cœur dans un étau, le souffle coupé et la tête bourdonnante.

Je ne sais pas combien de temps j'ai attendu, mais la porte du bureau de Michael a fini par s'ouvrir précaution-neusement et une étudiante d'un autre de ses groupes en est sortie et s'est éloignée rapidement.

Cela m'a ramenée d'un coup sec à la réalité. La Belle au bois dormant est retombée dans le coma et j'ai refait surface.

J'étais enragée et honteuse. J'avais juste envie de me précipiter dans son bureau pour qu'il sache que je savais, que je n'étais pas dupe. Pour qu'il ait peur que je le dénonce. J'aurais voulu le frapper sauvagement, lui faire mal, lui vomir dessus comme j'avais fait à l'autre type. Il ne valait pas mieux que lui. Ses méthodes étaient fort différentes, mais encore plus abjectes parce que pleines de manipulations, de mensonges et de trahisons. Et de pouvoir. Lui, il ne s'était pas contenté de s'approprier mon corps, il avait pris mon cœur aussi, et il l'avait broyé.

Je n'ai rien fait pourtant. Je suis restée pétrifiée et j'ai attendu qu'il parte en sifflotant.

À partir de ce jour, je n'ai plus ressenti qu'humiliation et colère. Je me haïssais d'avoir été aussi naïve, de m'être fait avoir à ce point. Je regardais les hommes avec défiance.

J'avais eu ma leçon. Je ne me donnerais plus jamais ainsi.

Il restait trois semaines avant la fin de la session. Je ne me suis plus présentée à mes cours d'éduc. J'étais certaine d'échouer à cause de cet abandon tardif, et cela me mettait hors de moi. Mais je ne voulais pour rien au monde me retrouver devant cet homme en train de m'observer pendant les exercices et de m'évaluer, comme si de rien n'était. Plutôt mourir !

Plus tard, sur mon bulletin, j'ai constaté qu'il avait fait la moyenne des notes que j'avais accumulées et qu'il les avait transposées sur 100. C'était la moindre des choses.

Justine venait tout juste de retomber amoureuse. À son tour, elle n'arrêtait pas de m'en parler. Je devais me retenir pour ne pas être cynique et sarcastique. On aurait dit qu'elle n'avait rien appris de son expérience précédente.

Elle se ramassait de nouveau avec un gars qui l'aimait sans partage, c'est-à-dire de façon certes passionnée mais totalement possessive. Elle persistait à croire que la jalousie, malgré la violence à laquelle ce sentiment avait conduit le premier, était une preuve d'amour. Elle ne le formulait pas ainsi, mais cela revenait au même. J'aurais hurlé, mais cela aurait été inutile. D'autant plus que tout ce qui serait alors sorti de moi aurait été chargé d'une hostilité qui dépassait très largement ce que Justine vivait.

Je ne lui ai rien dit de l'amertume et de la solitude glaciale dans lesquelles j'avais plongé. Je lui ai fait croire que c'était moi qui avais laissé Michael parce qu'il était trop vieux pour moi, qu'il voulait qu'on se marie sitôt que j'aurais dix-huit ans et qu'on ait des enfants alors que ça ne m'intéressait pas du tout. Elle ne le connaissait pas et elle était habituée à ce que j'expédie certaines choses avec désinvolture. Elle ne s'est pas inquiétée pour moi. Elle n'en avait d'ailleurs pas le temps.

J'ai commencé à travailler comme préposée à l'hôpital l'été qui a suivi. Ce nouveau travail m'a beaucoup stressée les premiers temps. Je ne pouvais m'enlever de l'esprit, avec tout ce que j'y voyais et tout ce que j'y touchais, que l'hôpital était un lieu saturé de bactéries, de virus, de germes nocifs, de miasmes dangereux qui pénétraient en moi par ma peau et par ma respiration. Quand je rentrais, je prenais une douche très chaude et je me lavais vigoureusement au savon antibactérien avec un gant de chanvre. Je sortais de là rouge comme un homard et, pourtant, je me sentais encore sale, contaminée. C'était beaucoup plus profond.

Quand je ne travaillais pas, j'étais dehors, même quand il pleuvait. Je faisais beaucoup de sport, du vélo, de la natation, du patin, du jogging, n'importe quoi qui pouvait m'épuiser et me vider la tête.

Au mois d'août, j'ai commencé à appréhender mon retour au cégep parce que je savais que, tôt ou tard, je croiserais Michael, même s'il n'était plus mon prof.

Quand cela s'est produit, peu de temps après la rentrée, je n'ai pas du tout eu la réaction à laquelle je m'attendais. Il parlait et riait avec des étudiantes à l'entrée de la cafétéria. Il était toujours aussi beau et désinvolte, mais je ne pouvais m'empêcher de le trouver misérable. Il faisait son habituel numéro de séduction devant une petite cour de jeunes femmes magnétisées.

Ce qui me restait de colère et de peine est tombé.

Au milieu de l'automne, j'ai eu une liaison de quelques semaines avec Kevin, le frère de Justine. Nous nous connaissions depuis l'enfance et il n'y avait rien de menaçant pour moi dans cette relation. Nous savions tous les deux que cela ne durerait pas et, surtout, qu'on ne se blesserait pas. Lui aussi avait vécu une déception amoureuse. Je crois que nous voulions nous réconforter, nous faire du bien, et c'est ce qui s'est produit. Il y avait une grande tendresse entre nous, qui n'avait rien à voir avec les complications de ce que l'on appelle l'amour.

J'ai pu mesurer avec lui à quel point j'avais changé sexuellement. Je connaissais maintenant mon corps, mes désirs, mes limites. Et je savais bien mieux ce qu'était un homme.

Je le devais en grande partie à mon expérience avec Michael, c'était évident. Il n'empêche qu'il avait saccagé quelque chose de pur, de précieux en moi. C'était la première fois que j'aimais et que je me croyais véritablement aimée. Or, il n'y avait eu aucune réciprocité. Il ne s'agissait que d'un leurre, d'un piège sciemment et savamment construit par Michael pour satisfaire son narcissisme puéril, sans aucun souci pour ce qu'il détruisait en moi.

Comment est-ce que je pourrais désormais croire un autre homme qui me manifesterait un amour attentif, passionné et, en apparence, si respectueux ?

Comment croire à mes propres sentiments ? J'ai cru aimer Michael d'un amour absolu et, en l'espace d'un instant, cet amour s'est dissous comme si on l'avait plongé dans l'acide sulfurique.

Au fond, qu'est-ce que c'est, aimer ? Peut-être juste essayer de tirer parti, un bout de temps plus ou moins long, de quelqu'un qui répond à certains de nos besoins profonds ?

Je ne sais même pas c'est quoi, mes besoins profonds.

Et je n'ai pas du tout l'air de savoir comment les combler, même inconsciemment. Après avoir vécu trois ans avec Francis, je me sens aussi mal et aussi seule qu'avant. Peut-être plus encore.

Chapitre 4

Je n'ai pas vu Francis depuis trois jours.

Il est passé à l'appart à quelques reprises, probablement quand j'étais à l'université ou à mon travail.

Il a laissé sa serviette mouillée en tas sur le plancher de la salle de bains, de la vaisselle sale et des restes sur le comptoir de la cuisine, ses bas en tire-bouchon sous la table, mais pas un mot nulle part, aucune des fois.

Il a pris des vêtements, des disques, la roulette pour couper la pizza, la couverture qui recouvrait le vieux sofa, son oreiller, les deux rouleaux de papier hygiénique qui restaient et d'autres petites choses sans grande importance.

Mais, aujourd'hui, il est parti avec Filou. Et il a emporté son panier, sa balle, son os en corde, son bol et sa nourriture.

Ça, ça m'a vraiment fait mal au cœur.

D'ordinaire, quand j'arrive et que Francis n'est pas là, je m'occupe d'abord de Filou et je le sors s'il y a longtemps qu'il est seul.

D'ailleurs, impossible de l'oublier. Sitôt qu'on tourne la clé dans la serrure, il accourt et il nous fait la danse du chien gaga. C'est l'expression que Francis a trouvée pour désigner cette sorte de délire d'affection et de bonheur dans lequel Filou tombe à notre retour, même si on n'a été partis qu'une heure.

Parfois, quand on était encore bien ensemble, Francis me faisait le coup du mec gaga. Il bondissait soudainement sur moi en glapissant et il me léchait le visage, les oreilles, le cou, les mains. Chaque fois, je me mettais en rogne, mais très vite ça virait en folie joyeuse et on finissait immanquablement par faire ce que Francis appelait « des cochonneries ». Les relations sexuelles ont toujours été une sorte de jeu pour nous. On était comme deux enfants. Sauf vers la fin. Là, c'était moins drôle.

Ce soir, pas de mec ni même de chien gaga pour me faire la fête.

Bêtement, quand j'ai constaté l'absence de Filou, je me suis mise à pleurer à chaudes larmes et je n'arrivais plus à m'arrêter.

J'avais beau me dire : « Ce n'est qu'un chien, et même pas mon chien ! », « Il n'est pas mort, quand même ! », j'étais inconsolable.

J'ai fini par m'asseoir par terre, adossée à la porte d'entrée, et j'ai attendu que ça passe, comme on attend la fin d'un gros orage avant de reprendre sa route.

J'ai pleuré longtemps, à gros sanglots. J'ai les yeux bouffis et les cheveux tout défaits parce que je me tenais la tête en hoquetant, comme si j'avais peur de la perdre. Je ne suis pas belle à voir.

Je sais bien que ce n'est pas seulement le départ de Filou qui a provoqué un tel déluge, mais l'évidence que Francis ne reviendra pas puisqu'il a emmené Filou avec lui.

Filou, ce n'est pas juste un chien pour Francis. Je l'ai souvent entendu l'appeler « Frérot », à mi-voix, quand il le flattait. Et je sais, par son ami du cégep qui m'a parlé de ses parents, que c'est sa mère qui le lui a donné, trois mois avant de mourir. Comme si elle ne voulait pas laisser son fils tout à fait seul.

Je ne sais pas comment elle l'a choisi, mais c'est le chien parfait pour Francis. Il déborde d'amour pour son maître. C'est un véritable cabotin, enjoué et attachant. En même temps, il ne tombe pas en dépression quand Francis le néglige un peu.

Filou capte très rapidement les humeurs de Francis et, jusqu'à tout dernièrement, il réussissait presque toujours à lui faire sentir sa présence dans les moments plus délicats.

Si Francis était triste, Filou allait s'asseoir non loin de lui, un peu de biais, la tête détournée. Immanquablement, dans un geste réflexe, Francis prenait l'une de ses oreilles entre ses doigts et il la caressait doucement. Comme si c'était un coin de sa doudou.

Quand Francis était irritable, de mauvaise humeur ou en colère, Filou se rentrait la tête dans la petite poubelle en osier, dans un sac à dos ouvert ou dans n'importe quoi et il pouvait rester là tant que Francis ne lui accordait pas son attention. Parfois, Francis lui lançait : « Ça marchera pas, Filou ! Tu vas rester là jusqu'à d'main ! » C'était gagné.

Pour mieux encaisser une mauvaise nouvelle, il arrivait à Francis de se coucher tout habillé en chien de fusil sur le lit et de ne pas bouger. Filou allait aussitôt se blottir contre lui, dans l'espace laissé entre ses genoux repliés et son ventre. On aurait dit un chat.

Depuis deux ou trois mois, Filou s'est souvent démené pour rien. Il avait beau courir dans l'espace restreint et encombré de notre appart comme s'il chassait un lapin, ou transporter d'un endroit à un autre les choses qui traînaient par terre comme une gerbille déménagerait sans fin sa nourriture d'un coin de sa cage à un autre, Francis réagissait à peine et, quand il le faisait, c'était pour crier à Filou d'arrêter son manège.

Ces dernières semaines, si Francis restait longtemps affalé sur le sofa à ne rien faire et à déprimer, il arrivait que

Filou aille s'installer face à lui, à un mètre environ, pas assez près pour que Francis puisse le toucher. Il s'assoyait, penchait la tête et restait là sans bouger, à fixer le plancher. On aurait dit un chien en dépression profonde. Quand Filou adoptait cette attitude, Francis se hérissait. Filou avait vraiment l'air de se moquer de lui en cherchant à l'imiter. Francis se levait alors en grommelant : « Ça, c'est l'boute ! Sont rendus qui font équipe pour m'écœurer ! » Et il s'en allait en claquant la porte.

En fait, moi, j'avais renoncé depuis peu à essayer de discuter avec Francis pour le faire décoller de ce fauteuil, pour comprendre ce qui lui arrivait, pourquoi il avait laissé tombé tous ses cours, pourquoi il ne se cherchait pas un nouvel emploi, pourquoi il ne s'intéressait plus à rien, pourquoi il restait là à ne rien faire, pourquoi il passait tant de temps avec Olivier, pourquoi il était devenu si fermé et buté, pourquoi il ne me touchait plus, pourquoi il criait maintenant après Filou, après moi, pourquoi ci, pourquoi ça.

Pendant cette période, on s'est engueulés comme on ne l'avait jamais fait.

Un jour, en rentrant, je me suis vraiment emportée et j'ai dit à Francis que j'allais donner à Emmaüs ce maudit sofa dans lequel il était en train de prendre racine. Je ne pouvais plus supporter de le retrouver, à mon retour, encore écrasé à la même place qu'à mon départ, l'air hébété, comme s'il était dans un état neurovégétatif. Je lui ai dit qu'il avait l'air d'un zombi, de quelqu'un dont on aurait siphonné toute la substance, toute la vitalité, toute la personnalité, toute l'âme. Qu'il avait l'air d'un mort vivant.

Sur le coup, ça l'a ébranlé, je crois. Il s'est redressé et il m'a regardée. Il n'avait plus l'œil éteint.

J'étais moi-même secouée d'avoir osé lui dire des choses aussi terribles.

On est restés en silence un moment à se regarder. C'est difficile d'expliquer cet instant. C'est la dernière fois qu'on a été vraiment ensemble. J'ai senti toute sa détresse et il a dû sentir la mienne.

J'aurais aimé m'approcher de lui, le prendre dans mes bras, lui demander pardon, lui dire que je l'aimais, que j'avais peur de le perdre, qu'il était en train de sombrer et que cela me déchirait. J'aurais voulu lui parler de ce que j'avais vécu à quatorze ans, de ma difficulté à exprimer ce que je ressentais, de, de, de.

Je suis restée muette et immobile.

Je crois qu'il avait aussi envie de me parler, ou que je parle, qu'il se passe quelque chose qui nous rapprocherait. Son regard n'était pas agressif ou offusqué. Au contraire. On essayait de se rejoindre, mais il y avait tant de non-dit entre nous, tant de silence.

Je me sentais comme quand on regarde un film et que l'on sait très bien que les deux personnages s'aiment, pour de vrai, mais qu'ils n'arrivent pas à se le dire, à s'ouvrir enfin, à se toucher au cœur, et que tout prend alors une tournure bête et stupide, comme s'ils se haïssaient.

C'est ce qui s'est produit.

Francis s'est laissé retomber sur le sofa et il m'a rétorqué que non seulement ce sofa était à lui et qu'il pouvait en faire et y faire ce qu'il voulait, que je n'étais ni sa mère ni sa blonde, mais que sa vie lui appartenait aussi et qu'il ne supporterait plus aucune forme d'ingérence de ma part dans sa façon de la mener.

Je suis restée interloquée.

Puis, j'ai répliqué : « Au moins, c'est clair ! » C'est tout ce que j'ai trouvé.

En fait, il n'y avait plus rien à dire.

Pour la première et la seule fois, je suis partie en claquant la porte.

Je suis allée chez Justine. Elle n'était pas là.

J'ai erré dans les rues, l'esprit et le cœur vides, mais le corps lourd et empâté.

Les nuages étaient bas, il faisait gris et mouillé même s'il ne pleuvait pas tout à fait. Une petite bruine à peine perceptible couvrait les autos de buée et me donnait l'impression d'être en sueur alors que je frissonnais.

Je suis entrée prendre une bière dans un bar, ce qui m'a rendue encore plus triste. Les odeurs étaient exacerbées et les bruits amplifiés par l'humidité. Les gens riaient et parlaient fort. La musique se fondait dans les autres sons pour créer un grondement assourdissant de moteur. On aurait dit que rien de tout cela n'était vrai, qu'on était en train de tourner une scène de film où des figurants auraient eu à faire semblant de s'amuser, de se draguer, d'être branchés.

J'étais là, debout, toute seule, entourée de cette faune survoltée, à me demander ce que je faisais là. Je n'arrivais pourtant pas à partir. J'étais hypnotisée par toute cette animation bourdonnante où les gens s'interpellaient, se donnaient l'accolade, recommandaient à boire, pigeaient compulsivement dans les bols de grignotines, tout en parlant et s'esclaffant à qui mieux mieux.

Tout cela sonnait faux, mais une partie de moi ne pouvait s'empêcher de penser que ces jeunes, dans la vingtaine et la trentaine, étaient normaux, que c'était probablement cela la vraie vie. Après sa journée de travail, on va rejoindre ses semblables pour prendre un verre et s'amuser, pour ne pas perdre de vue que la vie n'est pas que corvée et grisaille, que métro-boulot-dodo. Pour oublier sa propre vie de fourmi, ses petites misères personnelles, mais aussi toute la misère du monde.

Un gars près de moi m'a demandé, en me tapant légèrement sur l'épaule : « Ça va ? »

Je suis revenue brutalement à la réalité. Je devais avoir l'air d'être tombée d'une autre planète, plantée là à regarder tout ce qui se passait dans ce bar, la bouche probablement ouverte comme quand on est très absorbé par un spectacle ou dans ses pensées, ou les deux à la fois. J'ai répondu : « Oui, oui, ça va. » J'ai déposé mon verre et je suis partie.

Quand je me suis retrouvée dans la rue, il pleuvait pour de bon. Je ne savais plus où aller. À cette heure, Justine devait être avec son chum.

J'ai fini par prendre le chemin de l'appart, même si je n'en avais pas du tout envie. J'étais trempée. J'avais froid. Mes pieds faisaient floc-floc dans mes souliers à chaque pas. Je me suis mise à pleurer. J'ai commencé à courir, mais j'ai perdu un de mes souliers. J'ai enlevé l'autre. J'ai pensé à ma mère, aux champignons que l'on peut attraper dans les chambres d'hôtel si on marche nu-pieds. Je me suis mise à gueuler et à sacrer entre mes dents. J'étais enragée, contre la pluie, contre Francis, contre mes parents, contre moi, contre cette sale vie.

En chemin, je me suis chargée à bloc. Dès mon entrée, j'allais dire à Francis que j'en avais assez, que c'était fini, que je voulais qu'il parte, tout de suite, avec son hostie de sofa collé au cul.

Je suis arrivée à l'appart armée jusqu'aux dents. J'ai ouvert la porte et avant même que je dise quoi que ce soit, Filou m'a fait la danse du chien gaga.

Francis était sorti.

Je me suis effondrée sur le sofa de Francis et j'ai pleuré encore.

Cette nuit-là, Francis n'est pas rentré, pour la première fois. Je me suis inquiétée et tourmentée. Je n'arrivais pas à dormir. Je me sentais coupable, responsable. Je l'avais poussé à bout. Je lui avais dit les pires injures. Je ne m'étais pas mêlée de mes affaires. Je ne le comprenais pas. Je n'arrivais pas à l'aider. Au contraire.

Je voulais être travailleuse sociale, mais je n'étais même pas capable de régler mes propres problèmes. J'étais incapable de dire clairement à Francis ce que je ressentais pour lui. J'étais incapable d'avoir une relation limpide et saine avec un gars. Avec quiconque. J'étais nulle. Je n'étais pas mieux que celle que j'étais avant quatorze ans. C'était à chier.

Je me suis endormie au petit matin, épuisée, et j'ai passé tout droit. J'ai raté un examen important.

J'ai passé la journée en pyjama, à ne rien faire.

À midi, j'ai appelé au travail pour dire que j'étais malade et que je ne pourrais rentrer à quatre heures. Je n'avais jamais fait cela, sauf quand j'étais vraiment malade.

J'attendais Francis, à temps plein. Pas pour l'engueuler. Seulement pour le revoir, pour savoir qu'il était toujours vivant, toujours là. Même s'il ne me disait pas un mot.

À cinq heures, il n'était toujours pas rentré.

J'avais le choix.

Ou je restais à m'apitoyer sur mon triste sort, pauvre petite victime fragile et impuissante qui attendait son mec. Ou je me secouais.

Je me suis fait à souper, même si je n'avais pas faim, et j'ai bûché toute la soirée sur un travail que j'avais à remettre à la fin de la semaine.

Francis n'est pas rentré ce soir-là non plus. Je n'ai presque pas réussi à dormir mais, le lendemain matin, je me suis quand même levée tôt et je suis allée voir ma prof pour lui demander si je pouvais reprendre l'examen auquel je ne m'étais pas présentée. Je devais avoir l'air tellement amochée qu'elle a accepté sans me poser de questions. Je me suis ensuite rendue à mes cours puis à l'hôpital à quatre heures.

Quand je suis rentrée, à minuit et demi, crevée, Francis dormait. J'étais heureuse et soulagée qu'il soit revenu. Je me suis étendue près de lui, je l'ai flairé longuement sans oser le toucher et j'ai dormi comme un bébé.

Le lendemain, on a fait comme si de rien n'était. On a repris notre petite guerre froide et notre silence obstiné.

Je n'ai pas osé lui poser de questions, mais j'avais peur qu'il soit allé retrouver une fille qui lui rôde autour depuis un certain temps : Carolane, une amie d'Olivier, dont l'occupation principale est de jouer les agaces en minaudant.

Ce n'est pas chez elle qu'il est en train de déménager puisqu'elle habite un minuscule deux et demi avec sa mère. Ce n'est pas le genre de fille qui peut vraiment inté-resser Francis mais, dans l'état où il est, ça ne m'étonnerait pas qu'ils baisent ensemble à l'occasion.

C'est chez Olivier que Francis est en train de s'installer.

Ces derniers mois, Olivier est devenu beaucoup plus présent qu'avant, et j'ai fini par savoir que c'était chez lui que Francis allait quand il ne rentrait pas.

C'est là qu'il emménage, dans l'appart sordide d'Olivier où la moitié de l'espace est occupée par des caisses de bouteilles de bière vides, empilées jusqu'au plafond. Ça sent le fond de tonne, la pisse, la cigarette et le pot en permanence dans ce trou. La toilette est tellement dégueulasse que, les deux fois où je suis allée chez lui, je me suis retenue même si j'avais envie.

Olivier ne m'aime pas et c'est réciproque. C'est un fumiste, un paresseux. Il s'est toujours pris pour le Che, mais il fonctionne à coups de faux raisonnements, de sophismes, et il ne fout rien. Le principe fondamental de sa philosophie : moins on en fait, moins on fait marcher le système. Il ne faut surtout pas étudier ou avoir un emploi. On peut quêter, faire de petits vols sans trop de risques, vendre un peu de drogue, culpabiliser les parents pour qu'ils crachent de l'argent et se prostituer si les temps sont vraiment trop durs. Il l'a fait. Je le sais.

Olivier s'enfonce de plus en plus.

Quand le groupe était là, ça donnait une certaine justification à sa position. Il semblait lutter avec le groupe contre les injustices du système mais, à la longue, les autres se sont aperçus qu'il n'était qu'un beau parleur qui n'avait aucune intention de s'engager véritablement dans quelque action constructive que ce soit.

Toute son apparente révolte contre le système n'est qu'une colère d'enfant qui tape du pied et qui refuse de grandir et de prendre sa vie en main. Cela implique beaucoup trop d'efforts. Surtout que ses parents ont de l'argent. Il a déjà eu le culot de demander sa part d'héritage à son père en lui disant que, de toute façon, ça lui revenait de droit. Il s'est fait retourner royalement. Ce qui l'a évidemment outré.

Olivier est un éteignoir. Par sa passivité, il désamorce tout élan chez les autres et tout désir d'essayer de faire bouger un peu les choses. Je ne comprends pas que Francis se soit rapproché de lui, sinon par dépit. Il n'aimait pas du tout Olivier quand je l'ai rencontré.

Francis prenait alors ses études en sciences po très à cœur, mais le groupe passait avant tout pour lui. Il aimait participer à toutes les discussions, être de tous les projets, préparer des tracts, des pétitions, des manifestations. Il était toujours partant. Sauf que, le matin, il n'arrivait pas toujours à se lever pour aller à ses cours et il était souvent trop fatigué pour se concentrer sur ses travaux ou se rendre à son travail.

Peu à peu, le groupe s'est dispersé. Chacun a pris sa route, de façon normale, selon moi, mais je crois que Francis a vécu cela comme un abandon. Pire, une trahison.

Francis et moi, pour des raisons différentes, on s'était découvert une nouvelle famille avec le groupe. Et on avait édifié notre couple sur cette base. C'était beaucoup moins compromettant et dangereux pour nous que de se retrouver face à face, sans les autres, à se demander si on était vraiment amoureux ou pas.

Avec Francis, j'avais trouvé la personne idéale. Il ne me demandait jamais de dire ce que j'éprouvais. Nous pouvions parler pendant des heures, à la condition que cela ne touche que des sujets qui nous étaient extérieurs et qui ne nous engageaient pas personnellement, l'un par rapport à l'autre.

Il arrivait parfois que, malgré nous, nos corps et nos cœurs nous emportent. Mais nous savions comment les ramener sur terre et nous faire échouer de nouveau sur nos îles respectives. Quelques mots suffisaient. On baise, on ne fait pas l'amour. On cohabite, on ne vit pas ensemble. On s'aime bien, on ne s'aime pas. On profite de l'instant, on ne s'enchaîne pas dans des projets d'avenir. On a du plaisir ensemble, mais ça ne veut rien dire. On pourrait très bien en avoir avec quelqu'un d'autre. On ne se donne rien, donc on ne se doit rien. On ne se fait jamais de promesses, alors on est libres.

Avec Francis, je me suis sentie tout de suite à l'abri des débordements sentimentaux, des dérapages émotifs et des faux espoirs dont j'avais terriblement peur. Il me suffisait de penser à Michael et de regarder ce que Justine avait vécu pour me convaincre que j'avais raison de ne pas suivre mon cœur.

Je suis bien avancée maintenant !

Chapitre 5

Je suis allée souper chez mes parents hier. Ça faisait une éternité que je ne les avais pas vus.

Ils ont déménagé, il y a trois mois. Ma mère tenait absolument à ce que je voie leur « superbe condo ». Elle ne cessait pas de me harceler depuis deux mois : « Viens voir ! Tu vas être impressionnée ! »

En effet, je l'ai été. Quand j'ai poussé les portes de l'entrée principale, je me suis retrouvée dans le hall d'un grand hôtel. Il y avait un immense lustre avec des pendeloques de cristal, des vases monumentaux, certains vides, d'autres remplis de fausses fleurs exotiques, et des fauteuils en cuir près d'un impressionnant foyer encastré, au gaz, avec ses bûches rougeoyantes qui faisaient semblant de brûler.

Ça sentait les faux riches à plein nez.

J'ai pris l'ascenseur. La lumière très tamisée venait de je ne sais où. Les parois étaient lambrissées de bois foncé et de miroirs au tain si cendré que je n'y voyais que mon ombre. La montée au neuvième étage s'est faite rapidement, sans bruit et presque sans mouvement perceptible.

Dans les couloirs, tout aussi silencieux et faiblement éclairés par des lampes murales en forme de chandeliers, je n'ai pas rencontré âme qui vive. Je me sentais dans une pyramide moderne qui aurait servi de tombeau à des gens pas encore tout à fait morts, mais qui s'y préparaient en beauté. Une sorte de préarrangement, de mise en scène fastueuse supposée révéler le rang social de ceux dont on allait bientôt retrouver les cendres dans les grands vases canopes de l'entrée.

Je ne comprends pas comment mes parents ont pu choisir de s'enfermer dans un tel mausolée alors que mon père vient tout juste d'entrer dans la cinquantaine et que ma mère a quarante-huit ans. En plus, ce n'est pas du tout leur style.

L'une des portes s'est ouverte un peu plus loin devant moi. Ma mère a sorti la tête et elle m'a fait signe d'accélérer. Je me suis avancée dans sa direction en disant: «Salut!» Aussitôt, ma mère a fait «Chut!», en mettant un doigt sur sa bouche. Sans baisser ni hausser le ton, en parlant normalement, je lui ai demandé si elle avait peur que je réveille les morts. Dès que j'ai été à la portée de sa main, elle m'a entraînée à l'intérieur et elle a refermé la porte sur nous.

Puis, elle est restée plantée là, béatement souriante, bien droite, dans son hall d'entrée qui a probablement la même superficie que notre un et demi, si on ne compte pas la salle de bains exiguë, l'unique garde-robe et le petit garde-manger. Peut-être même que tout y entrerait.

«Qu'est-ce que t'en penses?»

Mon choix de réponses était plutôt restreint si je ne voulais pas la blesser. J'ai donc dit, à voix feutrée, ce qu'elle voulait entendre en employant des mots qu'elle aime: «MAgnifique!», deux fois, en appuyant bien sur le MA, «C'est vraiment du haut de gamme, comme tu me le disais! C'est d'un raffinement!»

Elle en avait les larmes aux yeux.

«Viens voir.» Et la visite a commencé.

Mon père avait pris une douche et il finissait de s'habiller. Lorsqu'il est apparu, il était en complet-cravate, avec une chemise blanche impeccable. J'ai tout de suite perçu son parfum de fougères, *Homme,* de Roger et Gallet.

Une bouffée d'émotion est montée en moi et j'ai naïvement laissé échapper un « T'es beau ! » qui avait surgi de très très loin.

Jusqu'à mes quatorze ans, mon père a été mon idole, mon héros, l'Homme. À la maison, il s'habillait de façon décontractée, très étudiée, quand même, mais les matins de semaine, il se transformait en cet homme d'affaires que je trouvais si élégant et qui sentait si bon. Il arrivait à la table pour déjeuner avec nous et je me sentais fière d'être sa fille.

Après mon suicide raté, tout cela a été emporté avec le reste, sans distinction, dans ce que je ressentais comme de la parade.

Mon père a toujours été beau. Même mes amies, au secondaire, le disaient avec envie. Il y avait maintenant des années que je ne l'avais pas réellement regardé.

Il s'est approché de moi, visiblement déstabilisé par ce que je venais de dire, et il m'a serrée contre lui. Nous étions tous les deux émus, manifestement.

En même temps, je trouvais ridicule ce retour en arrière que je venais de provoquer alors que le contact est coupé depuis très longtemps. On se contente de tenir nos rôles en essayant tout simplement d'éviter les terrains minés. Et ça semble suffire. Ça ne suffit pas, évidemment, mais on ne sait pas comment faire autrement.

Mon père s'est dégagé, s'est détourné et il m'a demandé comment je trouvais cela.

J'avais la gorge nouée. J'avais envie de lui dire que j'aimais mieux la maison.

Je me rendais soudain compte à quel point ça me faisait quelque chose qu'ils aient vendu cette maison, notre maison, que j'avais pourtant fuie dès que je l'avais pu et où je n'aimais pas du tout retourner.

Pour briser le silence qui devenait lourd, ma mère a dit « Elle adore ! » et elle s'est mise à parler et à tout me montrer.

Je ne me sentais pas bien dans cet endroit. On aurait dit une mise en scène pour une revue de décoration, un condo modèle où personne ne vit vraiment. Je ne reconnaissais rien de ce qui leur avait appartenu.

Tout était neuf. Les services d'un designer leur ont été offerts gratuitement parce qu'ils étaient les premiers acheteurs de cet appartement. Ma mère m'a dit qu'il leur avait posé beaucoup de questions sur leurs goûts et leurs habitudes de vie et qu'il leur avait fait plusieurs suggestions. Il ne leur a rien imposé.

Pourtant, le résultat ne leur ressemble pas du tout. Ce doit d'ailleurs être une copie presque conforme de toutes les autres unités au-dessus, au-dessous et autour. Mes parents ont l'air empaillés dans cet aménagement guindé.

À table, nous étions affectés comme des gens se retrouvant dans un restaurant beaucoup trop chic pour eux. Il y avait une nappe et des serviettes de table damassées. Nous avions chacun trois verres devant nous : un pour l'eau et deux autres pour des vins différents. J'étais reçue officiellement. Mon père s'était « habillé » pour l'occasion, ma mère aussi, avec un ensemble en daim superbement coupé et un « petit tricot de mérinos bistre ». Ma mère aime se mettre de jolis mots dans la bouche, comme d'autres de fins chocolats fourrés. Elle avait sorti l'argenterie et tout le bazar.

C'était peut-être simplement le lieu, et non ma visite « rare », qui leur avait imposé un tel protocole. Je les imaginais pourtant mal, le vendredi soir, après leur grosse semaine, rester coincés dans un tel décorum.

Le moins qu'on puisse dire, c'est qu'avec mon ensemble « t-shirt-jeans-baskets » usé, je détonnais dans le tableau. Mais eux aussi, en vérité.

Les petits plats raffinés que ma mère avait dû longuement cuisiner passaient mal dans nos gosiers, malgré nos charmantes exclamations et nos roucoulements à chaque bouchée. La tristesse était palpable en chacun de nous.

Mes parents avaient l'air de s'accrocher désespérément à ce nouvel univers tape-à-l'œil pour ne pas sombrer dans je ne sais quoi.

Ils avaient tous les deux tellement voulu devenir « des gens bien » pour faire un pied de nez à leur enfance misérable. Ma mère venait d'un petit village où il y avait les « péteux de broue », et les autres, qui tentaient malgré tout de sauver la face avec moins que rien. La famille de ma mère appartenait à la deuxième catégorie. Mon père avait grandi en ville, mais dans un secteur où ça sentait en permanence les œufs pourris à cause des raffineries. Son père y avait travaillé vingt-deux ans. À trente-neuf ans, il y avait perdu un bras et, du même coup, son emploi. Pas de syndicat, à l'époque, ni d'assurance-invalidité.

Mon père et ma mère ont « réussi », c'est indéniable, mais ils en sont si peu convaincus eux-mêmes que c'est encore un combat de chaque jour. Tout le prouve dans ce condo de parvenus qu'ils viennent de s'acheter.

En fait, moi me mordant les jointures et pleurant sur le vieux sofa défoncé de Francis qui ne rentre pas, ou ma mère angoissant, la nuit, sur son beau canapé Montauk, en laissant fondre une Ativan sous sa langue, c'est du pareil au même. Mon père buvant son scotch Chivas Regal, ou Francis tirant sur son joint, c'est la même tentative d'échapper au vide.

Je suis sortie de là totalement déprimée. Je l'étais déjà, il faut l'avouer, mais cela n'a pas arrangé les choses.

Mon père a insisté pour me reconduire. Je lui ai dit qu'il y avait encore des bus, mais il n'a rien voulu entendre. Il pleuvait à verse.

Il a un nouveau véhicule. Un VUS. Un gros. Tout le long du trajet, il m'a parlé de son fourgon blindé. Il essayait de se justifier. Je le sentais mal à l'aise. Il sait que je suis contre l'existence même de ce type de véhicules achetés, en plus, par des citadins dans son genre. Contrairement à mes habitudes, je n'ai pas « discuté », je n'ai pas fait ma petite sortie écolo-machin.

J'avais juste envie de pleurer. Toutes ces fadaises entre nous, ces paroles creuses.

Il a fini par se taire, gêné.

Il ne se rappelait plus où j'habitais exactement. Il n'est venu qu'une fois chez moi, avec maman. Ça leur a suffi. À moi aussi. Ma mère a passé tout le temps qu'elle a été là à nettoyer, même le frigo, les murs et les planchers. Pendant ce temps, mon père a tenté de me convaincre par tous les moyens d'accepter qu'ils me paient un logement plus convenable, « le temps de mes études ». Ça, c'était leur argument clé.

J'étais très reconnaissante qu'ils paient mes études et mes livres, mais je ne voulais rien d'autre. Mon mode de vie correspondait à mes nouvelles valeurs et je n'avais pas du tout envie qu'ils s'ingèrent dans mon univers pour le conformer au leur, sous prétexte de m'aider.

Ils sont repartis déçus, outrés, incapables d'imaginer que j'aie préféré vivre dans la « misère » au lieu d'accepter au moins « le minimum décent ». J'avais des parents qui pouvaient m'éviter d'avoir à vivre « ça », c'est-à-dire un peu de ce qu'ils avaient eux-mêmes vécu, alors pourquoi ne pas en profiter ? J'argumentais. Ils argumentaient. On avait tous de bons arguments, mais on ne parlait pas du même sujet ni la même langue.

Lorsque nous sommes arrivés devant chez moi, mon père m'a tendu maladroitement une enveloppe. Au début, quand je suis partie de la maison, il m'offrait de l'argent, tel

quel, tout cru, des billets dans sa main. Depuis quelques
années, il les met dans une enveloppe. Je me suis déjà dit
qu'il ne devait même plus prendre la peine d'y glisser de
l'argent puisque je refuse toujours. J'ai sorti mon habituel :
« Merci. Je me débrouille. » Il a dit « Attends ! » en posant sa
main sur ma tête comme quand j'étais une petite fille : « Ce
n'est pas pour toi, c'est pour moi. Je t'en prie. »

Lui aussi avait l'air sur le point de pleurer. J'ai baissé les
yeux parce que j'allais éclater en sanglots si je continuais à
le regarder. Nous sommes restés ainsi un moment. Sa main
était toujours sur ma tête. C'était insoutenable.

Qu'est-ce qui était donc si insoutenable ?

J'ai fini par prendre l'enveloppe et je l'ai remercié à voix
basse. Je suis descendue, mais avant que je referme la
portière, il s'est penché vers moi et il m'a demandé si je
voulais aller à la pêche avec lui cet été. Je suis restée bouche
bée.

Il y avait des années qu'il ne m'avait pas posé cette
question. Il me tendait une perche, c'était évident. Peut-
être que cela lui avait échappé, comme ce que je lui avais
dit un peu plus tôt quand je l'avais vu apparaître devant
moi dans le condo. Je ne voulais pas répondre sèchement
« Non merci ! », comme avant. Peut-être même qu'avant,
c'était aussi une tentative de rapprochement de sa part,
mais que je ne percevais pas ainsi.

J'avais l'impression d'un arrêt sur image. Lui toujours
penché vers moi figée sous la pluie, la main sur la portière,
la bouche ouverte.

Comme je ne lui opposais pas mon habituel refus buté,
et comme je commençais à être passablement mouillée, il a
dit : « Penses-y. On s'en reparle. » J'ai répondu : « OK. » J'ai
souri et j'ai fermé la portière.

Je suis restée là, malgré la pluie qui s'infiltrait partout
et me coulait entre les seins et dans le dos, dépassée par ce

qui venait de se passer, à un niveau qui m'échappait, pendant cette soirée en apparence banale et plate.

Quand je suis rentrée, je suis allée directement dans la salle de bains et j'ai pris une douche pour me réchauffer. J'étais transie jusqu'aux os.

J'ai toujours refusé d'aller à la pêche avec mon père, même s'il me l'a offert à plusieurs reprises.

Ma mère y était allée une fois, une semaine, la première et la dernière, alors que j'avais sept ou huit ans. L'une de ses sœurs m'avait gardée. Ma mère a conservé un souvenir impérissable des maringouins, des mouches noires, des brûlots, des frappe-à-bord, des guêpes vicieuses, des araignées, des couleuvres, des chauves-souris, de la bécosse, des matelas et des oreillers souillés, de l'odeur de poisson imprégnée partout, des fourmis charpentières volantes et des souris qui circulaient à leur aise dans le camp. Je pourrais continuer.

Ma mère ressortait souvent son « histoire de pêche à elle », comme disait alors mon père, et elle finissait toujours par son tête-à-tête avec l'ours. Elle avait vu l'OURS ! Il avait déguerpi en même temps qu'elle, direction opposée, foi de témoins, mais, selon elle, il l'avait poursuivie. Elle n'en avait pas fermé l'œil pendant les deux dernières nuits, et elle avait refusé de sortir du camp jusqu'à ce que l'hydravion revienne les chercher.

Les années suivantes, pendant que mon père allait, en paix, se faire dévorer par les moustiques, ma mère partait avec des amies se faire sabler le corps, beurrer de pâte d'algues, mettre des pierres chaudes sur le dos et macérer dans la boue en mangeant des raisins.

Quand mon père m'a offert, plus tard, de l'accompagner, j'ai chaque fois refusé avec une moue dégoûtée.

Pourtant, je soupçonne que mon père ne doit pas être le même dans ces contrées sauvages.

Quand je vivais encore avec eux, je le voyais se préparer longtemps d'avance pour ce voyage rituel. Il étalait tout son matériel sur une planche de contreplaqué placée sur des chevalets dans le garage. Au fur et à mesure que la table se meublait, il biffait des mots sur la liste punaisée bien en vue sur un tableau de liège au-dessus de son établi. Cela allait du savon qui flotte au sac de couchage super compact, en passant par la farine pour le poisson et par son chapeau tellement imprégné de chasse-moustiques qu'aucun insecte ne devait se risquer à l'approcher. Son coffre à pêche, objet sacré entre tous, trônait au milieu.

Ma mère avait eu l'idée, pour l'une des fêtes des Pères, de me suggérer de lui offrir un beau gros coffre bien compartimenté, en plastique d'un rouge vif, pour remplacer le sien, en métal tout cabossé, dépeinturé et rouillé par endroits. Elle y avait contribué, évidemment, et elle l'avait choisi avec moi. C'était avant mon esclandre.

Je me souviens encore de la tête de mon père quand il a vu mon « cadeau ». Là, il était vraiment mal pris. Il a dit « Oh ! », très à retardement. Il a jeté un regard noir à ma mère avant de faire un effort surhumain pour étirer les coins de sa bouche afin de mimer un sourire. Il m'a serrée dans ses bras, puis on est rapidement passés à table.

J'ai nettement senti que quelque chose clochait, mais je n'ai pas posé de questions. J'ai pensé que c'était peut-être la couleur qu'il n'aimait pas.

Quelques jours plus tard, quand j'ai vu que le vieux coffre était toujours à l'honneur sur la table dans le garage, alors que mon père allait partir le lendemain pour la pêche, je lui ai demandé pourquoi il ne prenait pas « le mien ». Mon père était tout embarrassé par ma question, qu'il avait probablement espéré que je ne lui pose pas.

Il a mis des gants blancs et il a pris mille détours pour finir par me dire que c'était mon grand-père qui lui avait offert ce coffre et que c'était un souvenir précieux pour lui. Il m'a demandé si je comprenais. J'ai dit oui, mais je ne comprenais pas vraiment.

Il aurait pu le vider et le garder sur une tablette du garage, en souvenir, avec les autres vieilleries auxquelles il semblait tenir, et se servir du neuf. Ma mère disait qu'il y avait même des bouts de vers séchés collés aux parois.

En plus, je n'ai jamais connu le père de mon père, on m'en avait d'ailleurs à peine parlé, et le fait que mon père ait dit « ton grand-père » me donnait un sentiment d'étrangeté.

Mon père s'est ensuite empressé de me montrer à quoi allait servir mon beau coffre rouge : dans chaque compartiment, il avait classé des clous de différentes grandeurs, des vis, des écrous, toutes sortes de petits cossins. Cela a suffi à dissiper le pincement au cœur que j'avais depuis le dimanche précédent, mais je me suis dit que je ne laisserais plus jamais ma mère me dire quoi acheter pour mon père.

Je ne sais ce qu'il va faire sans son garage, son domaine exclusif, son refuge, comme disait ma mère. Il y avait là son attirail de pêche, ses trois sacs de golf (deux ne servaient plus, mais il les gardait comme des reliques), ses nombreuses raquettes de tennis et de squash, ses outils et toutes sortes d'autres choses, un bâton de baseball fendu, notre ancien système de son pas branché, une lanterne Coleman dont la vitre était brisée, des souliers racornis au cuir tout raidi, et quoi encore.

C'est peut-être pour cela qu'il s'est acheté un gros VUS. Il a tout fourré à l'arrière et il va y jouer quand il s'ennuie de son garage.

Il ne sera pas heureux dans ce condo.

Ma mère non plus, sans ses plates-bandes, sa jolie maison de jardin avec ses rideaux de dentelle et ses boîtes à fleurs, la piscine creusée, la grande terrasse où elle suivait le soleil comme un tournesol.

Chapitre 6

Depuis quelques jours, j'ai la nausée. Pas beaucoup, mais c'est toujours là.

Je ne suis pas enceinte, c'est sûr! Je ne me rappelle même pas la dernière fois que j'ai baisé et, en plus, j'ai eu mes règles.

J'ai mal au « cœur ».

C'est bientôt la fin de la session, ma dernière, et je suis débordée, dépassée, tannée, épuisée, écœurée!

Je pensais m'être faite à l'idée que Francis était probablement parti pour de bon quand il a emmené Filou avec lui, mais je ne peux pas m'empêcher d'espérer qu'il soit là quand je rentre, de tout inspecter pour voir s'il est passé en mon absence, s'il m'a laissé un mot. Je n'arrête pas de l'attendre quand je suis là, de guetter le téléphone, de regarder par la fenêtre, de vérifier constamment mes courriels, de penser à lui tout le temps, tout le temps, même quand je suis à l'université, à l'hôpital, quand je lis, quand je fais un travail, même la nuit! Je lui parle sans arrêt. Je l'engueule, je m'engueule, je pleure à tout bout de champ, je me hais, je me déteste!

« Pourquoi tu lui envoies pas un courriel, toi? »

Ça, c'est la voix dans ma tête qui me nargue encore!

Lui envoyer un courriel pour lui dire quoi? « Reviens, mon beau chéri, tu me manques tellement! »

Je ne suis même pas certaine qu'il me manque.

« Ben quoi alors ? T'as qu'à tourner la page s'il te manque pas ! »

Facile à dire. Ce n'est pas si simple que ça.

« Tu préfères continuer d'faire comme si de rien n'était ? »

C'est le genre de petite phrase qui ressemble un peu trop à la façon de parler de la psy que j'ai vue adolescente…

Plus j'écris, plus je m'enfonce. J'ai beau me débattre, je cale, je m'en vais direct dans le fond. Je ne suis quand même pas pour me laisser couler à pic parce que Francis est parti. Il faut que je réagisse !

« Et tu comptes faire ça comment ? »

Si je le savais, je l'aurais déjà fait !

« Pourquoi tu lui envoies pas un courriel ? »

Ça recommence ! Cette question-là, je l'entends jour et nuit.

Mettons…

Mettons que je lui écris : « Francis, je veux qu'on se voie et qu'on se parle. »

Il va me répondre à coup sûr : « Qu'est-ce que tu veux qu'on s'dise ? » Alors, pas la peine.

« Justement, de quoi tu veux parler avec lui ? »

La seule chose que j'ai le « droit » de lui dire, c'est qu'il me doit trois mois de loyer, plus d'autres affaires. Et qu'il ne peut plus revenir à l'appart, à moins de payer ce qu'il me doit et sa part, à l'avenir.

« C'est tout ce dont tu as le "droit" de lui parler ? »

On était juste des colocs, c'est ce qu'il va me rétorquer si j'essaie de lui dire autre chose.

« Quel genre d'autre chose tu aurais envie de lui dire ? »
RIEN !

Chapitre 7

Avant-hier, j'ai fini par envoyer le courriel à Francis :
« Je veux te voir et je veux qu'on se parle. »

Je me suis dit : « Advienne que pourra ! »

Il n'est rien arrivé du tout.

Pas de réponse.

Olivier n'a pas le téléphone, il se l'est fait couper depuis longtemps, et il n'a sûrement pas Internet.

Francis aime bien prendre ses messages, mais là, il n'a plus d'accès facile, il ne va plus à l'université, alors…

Il a peut-être pris mon message, aussi. Je ne sais pas.

Ça marche constamment dans ma tête. J'échafaude des scénarios, avec toutes les variantes possibles. C'est sans fin. Je choisis avec soin ce que je veux lui dire, la manière dont je veux le dire, les mots, le ton, mais très vite j'entends les répliques qu'il va m'asséner et tout bifurque, je perds les pédales et ça se met à crier.

Je tourne comme un hamster fou dans sa roue. Il faut que je débarque de là au plus sacrant, que je décroche, que je me concentre sur mes affaires en attendant la réponse de Francis.

Oui, mais combien de temps ?

Et je fais quoi s'il ne répond pas ?

Chapitre 8

Ça fait presque deux semaines que je n'ai pas écrit dans ce journal. Trop occupée.

Francis n'a pas répondu à mon premier courriel.

Alors, je lui en ai envoyé un autre : « Tu n'as pas payé ta part de loyer des trois derniers mois pendant lesquels tu es resté ici. Comptes-tu revenir ? Si oui, quand ? Si c'est non, vas-tu me remettre l'argent que tu me dois ? Es-tu encore mon coloc ou pas ? Faudrait que je sache ! »

Il n'a pas répondu.

Je suis allée chez Olivier. Il n'y avait personne, mais la porte était débarrée. Les affaires de Francis sont là. J'ai laissé sur la porte un mot qui disait à peu près la même chose que mon dernier message.

Pas de réponse.

Quelques jours plus tard, je lui ai écrit : « Viens chercher les affaires qu'il te reste (ton sofa, entre autres) et remets-moi la clé de l'appart. Si tu ne m'as pas donné signe de vie d'ici une semaine, très précisément, je mets tes affaires sur le trottoir et je fais changer la serrure. »

Chose promise, chose faite. Ce matin, Justine est venue avec son chum et on a tout descendu à la rue. Ils m'ont ensuite aidée à nettoyer l'appart et à replacer ce qui reste. Presque rien, en fait, mais j'aime mieux ça de même.

Je respire mieux. J'ai ouvert les fenêtres et j'ai diffusé de l'huile essentielle de sauge. Ça chasse les mauvais esprits, d'après Justine.

Avec l'argent que mon père m'a donné, je me suis acheté des draps neufs, une couette, une belle grosse serviette, une serviette à mains, deux débarbouillettes, des linges à vaisselle et des lavettes.

J'ai aussi fait changer le barillet de la serrure.

Cette nuit, je vais bien dormir.

Si je décide de rester ici, je vais tout repeindre.

Le bail est signé, mais ce sera facile de sous-louer si je décide de me trouver autre chose. J'aurai juste à en parler à des amis ou à mettre une petite annonce à l'université.

Je vais voir.

Je commence à travailler, pour vrai, comme travailleuse sociale, début juin, dans un CLSC où j'ai fait un stage. C'est du remplacement, à temps complet, pour cinq mois seulement.

On m'a dit qu'il y aurait peut-être encore du travail, mais à temps partiel, pour moi, après. C'est loin d'être sûr.

C'est pour cela que je ne veux pas déménager tout de suite. Ici, le loyer n'est pas trop cher. J'aimerais bien ne plus avoir à travailler comme préposée à l'hôpital. Si je suis vraiment mal prise, je pourrai y retourner, à la limite.

Je me suis aussi acheté trois bougies, une jolie coupe, une bouteille de vin, du bon fromage et du pain. Je suis d'ailleurs déjà un peu pompette. C'est mon premier vrai repas seule, ici, chez moi. Le fantôme de Francis n'est plus sur le vieux sofa qui n'est plus là non plus.

Olivier dirait: «Sac! A rente dans l'système pas à peu près, stie!»

Fuck! Olivier!

Qu'est-ce que Francis dirait, lui? Je ne sais pas.

Je n'arrive plus à l'imaginer autrement que muet et inaccessible. Invisible aussi, comme s'il s'était dématérialisé et qu'il flottait temporairement entre deux mondes.

Il va retomber sur ses pieds un de ces jours. J'en suis certaine, à cause de ce qu'il est.

Lui et moi, c'est terminé.

Il dirait sûrement : « Ça peut pas s'terminer, ça jamais commencé ! », mais moi, je sais que nous avons été ensemble trois ans et que je l'ai vraiment aimé, même si j'étais trop pognée pour l'avouer.

Ce que je viens de vivre, et ce n'est pas fini, je le sais, c'est une peine d'amour, rien de moins. C'est Justine qui me l'a fait admettre.

Je ne dormirai peut-être pas si bien que ça cette nuit…

Étant donné que Francis est parti et qu'il ne m'a pas donné signe de vie depuis bientôt un mois, je suis contente d'avoir pris la décision de sortir ses affaires et d'avoir fait changer la serrure. Je n'étais pas pour l'attendre le reste de ma vie en ne touchant à rien et en ne me sentant pas vraiment chez moi.

Sauf que, même si je fête mon emménagement sans déménagement, je suis mal, au fond.

Ça ne faisait pas une demi-heure qu'on avait mis les choses sur le trottoir que des gens fouillaient dans les sacs verts et partaient avec les affaires de Francis. Deux gars qui restent un peu plus loin dans la rue sont partis avec le sofa, à pied. C'est comme ça dans le quartier. Une sorte de collaboration tacite. Ce dont on ne veut plus, on le met sur le trottoir, pas le jour des vidanges, et les gens se servent.

Ce n'étaient pas des choses de grande valeur, loin de là. Et je n'ai pas tout mis, évidemment. J'irai déposer ses CD, ses livres, ses papiers et d'autres trucs auxquels je sais qu'il tient, chez Olivier. Il ne barre jamais la porte.

Mais quand même… Ça fait dur comme séparation.

Ce que j'aurais aimé, c'est qu'on se parle, au moins. Pour une fois, juste une fois, qu'on se dise les vraies affaires, qu'on arrête de jouer notre petite game.

Il me semble que cela aurait pu nous faire du bien, à tous les deux.

Je n'aurais pas dû boire autant. J'ai le vin triste !

Deuxième partie

Le jour me convient, sa brise un peu légère, j'ai frissonné tantôt en sortant, puis mon corps s'est habitué, je déambule, anonyme parmi les passants, je suis tout près de ma vie.

LOUISE DUPRÉ, *La memoria*

Chapitre 9

Ça a fait des mois que je n'ai pas ouvert ce journal. Quand je ne travaille pas, je suis presque toujours dehors. Je passe le minimum de temps à l'appart mais, aujourd'hui, c'est le déluge.

Quand j'ai commencé au CLSC, je me suis aperçue que si je ne sortais pas, je n'arrêtais pas de penser à mon travail. C'est normal. Je n'ai pas d'expérience et je dois tout apprendre sur le tas. J'ai souffert d'angoisse et d'insomnie les premières semaines.

Comme je remplace tour à tour celles qui partent en vacances ou en congé, je me ramasse avec plein de dossiers que je ne connais pas et dont je dois assurer le suivi alors que ces clients sont habitués à quelqu'un d'autre, de pas mal plus efficace... Ils me trouvent « bien jeune » et il est évident pour eux que j'en suis à mes débuts dans le métier.

Il m'arrive de commettre des erreurs, d'être mal à l'aise, un peu empêtrée, de ne pas trop savoir où diriger tel cas, quelle filière suivre pour que les clients aient rapidement accès à tel ou tel service. Certains en sont inquiets, d'autres cachent mal leur impatience. Quelques-uns sont sensibles à ma nervosité et à mes efforts pour faire les choses correctement. Ils me rassurent, m'encouragent. Certains clients savent même mieux que moi quel formulaire utiliser, qui appeler, quelle démarche entreprendre.

Le personnel est très gentil avec moi, mais tout le monde semble débordé et j'essaie de me débrouiller du mieux que je peux.

Je n'ai pas eu à me trancher la gorge ou à me faire hara-kiri pour me retrouver ailleurs, autrement...

J'ai changé de statut. Je ne suis plus étudiante, je ne travaille plus comme préposée, mes horaires sont plus stables, je ne cours plus comme une folle de l'université à l'hôpital, j'ai plus de temps libre. J'ai sorti mon vélo, mes patins. J'adore marcher des heures dans le Vieux-Port ou à la montagne. Je m'informe sur les spectacles extérieurs, les lieux où il y a de l'animation, ce qu'il y a à voir. Presque tous les dimanches, je vais aux tam-tams au pied de la montagne.

Je ne me suis jamais sentie aussi libre. Mon engagement social passe par mon travail. C'est assez. À part cela, ma seule préoccupation est de m'amuser, de découvrir de nouvelles choses, de rencontrer des gens, de profiter de cet été si chaud et si beau.

Et puis, j'ai le cœur tranquille.

Des gars tournent autour de moi. Ça me rassure, en quelque sorte. C'est bon pour l'ego. Je rigole, je me sens belle, vivante. L'un d'eux, Max, me fait vraiment de l'effet, mais je n'ai pas envie de me rembarquer tout de suite. D'autant plus qu'il a l'air de se « chercher » pas mal, malgré son allure décontractée.

Je ne couche même pas, malgré les occasions. Je n'en ai pas envie. En fait, j'aimerais bien faire l'amour, mais pas comme ça, avec n'importe qui, encore moins avec Max parce que là, je suis certaine que je me remettrais les pieds dans les plats.

La solitude ne me pèse pas.

En réalité, je suis rarement seule, sauf la nuit dans mon lit. Parfois, dans un demi-sommeil, je cherche encore Francis pour me coller contre lui, me mouler comme il faut à son corps et dormir dans son odeur, dans sa chaleur.

Je pense souvent à lui, mais ça ne me fait plus mal, même si ça demeure une zone sensible et tendre. Je crois que je l'aimerai toujours, au fond de mon cœur, à cause de ce que nous avons été ensemble, à cause de cette vulnérabilité extrême en chacun de nous, qui nous obligeait à porter des cottes de mailles, des cuirasses, des boucliers, et qui nous empêchait de nous aimer sans peur.

Francis m'a appelée au milieu de juin et on s'est donné rendez-vous dans un café qu'on aimait bien. Il avait changé. Il était maigre et pâle, mais il était là, bien présent, l'œil allumé. Il s'est excusé d'être parti « en sauvage », de ne pas m'avoir donné signe de vie plus tôt. Il m'a promis qu'un jour, quand il le pourra, il va me remettre l'argent qu'il me doit.

Olivier a été arrêté en mai et il est en prison pour quatre mois. Francis m'a dit que ça lui avait donné « un coup de pied au cul », que cela l'avait réveillé. Il a décidé de partir pour le Honduras, participer à un programme d'aide humanitaire. Il n'a pas envie de passer le reste de sa vie gelé, replié sur lui-même, tout seul dans son coin à ne rien faire. Il a envie de sortir de sa léthargie, de travailler coude à coude avec des gens, sur le terrain. Il veut être de ceux qui contribuent, dans les faits, même à toute petite échelle, à changer le monde, ne serait-ce qu'un tout petit peu.

Je le reconnaissais…

Filou est du voyage, même si ça va coûter une fortune à Francis pour l'emmener et qu'il a dû se battre pour que ce soit possible.

Avant de partir, Francis m'a regardée droit dans les yeux et il m'a dit, doucement : « T'es une fille ben correcte, Cat. »

Moi, le connaissant un peu, ou peut-être parce que c'est ce que je voulais comprendre, j'ai traduit ses mots et son regard à ma façon : « Je t'ai aimée pour vrai, même si ça n'a pas marché. »

En fait, cela a marché, d'une certaine façon, selon moi.

On était deux enfants blessés qui avaient peur de devenir des adultes, de souffrir, de tomber dans des pièges de toutes sortes. On craignait de glisser malgré nous vers le petit couple standardisé qui peu à peu formate sa vie pour se sécuriser, qui carbure à la consommation et dans lequel chacun finit par s'éteindre, mine de rien, derrière les apparences. Pas question non plus de s'investir à fond dans une relation follement amoureuse où on se donne entièrement parce que, là, quand arrive la fin, on se ramasse le cœur dans le broyeur.

Il y a certainement d'autres manières d'être ensemble plus réjouissantes, mais nous, on ne les voyait pas et on essayait de toutes nos forces d'échapper au pire au lieu d'inventer autre chose qui nous aurait ressemblé davantage et qui n'aurait pas été une réaction de peur.

Je ressens maintenant de la tendresse par rapport à « nous ».

On s'est débattus comme on a pu, parfois ensemble, souvent chacun de notre côté, avec l'énergie du désespoir.

Francis et moi, on a été beaux, à notre manière.

Chapitre 10

Aujourd'hui, je suis allée au Jardin botanique avec ma mère. Elle est venue me chercher chez moi. Elle est montée.

Après mes cours, avant de commencer à travailler, j'ai tout repeint avec Justine. Ma mère n'en revenait pas du changement. Elle avait peur que ce soit aussi bordélique que la première et la seule autre fois où elle est venue, avec mon père, et elle pensait que Francis était toujours mon coloc.

C'est maintenant propre et dépouillé. «Feng shui», selon elle. Apaisant.

Cela l'a amenée à me parler de son «superbe condo» et, à un moment, j'ai eu l'impression qu'elle préférait l'atmosphère de mon petit appart miteux à celle de son éléphant blanc.

Elle a commencé assez calmement, mais quelque chose est vite monté en elle, de la colère, de la rage, je ne sais trop. Peut-être même du mépris pour cet univers auquel elle a pourtant voulu «accéder».

Je l'écoutais sans dire un mot, incrédule.

Tout se bousculait en elle et elle passait d'un détail à un autre sans crier gare.

La splendide piscine, avec ses fausses statues grecques et ses imitations de vases étrusques, semble le lieu privilégié de sa hargne, Et cela, malgré le magnifique aménagement paysager tout autour, avec dénivellations, grosses pierres, cascade d'eau, arbres nains, arbustes rares et fleurs dûment choisies. Comme elle dit : « S'il n'y avait personne, ce serait parfait ! » Or, c'est l'endroit où elle a été amenée à côtoyer la petite faune qui habite ce monde sélect qui forme comme une île dans la ville. Elle trouve les gens snobs, infatués et pédants. Leur culte du désœuvrement surchargé d'activités, de distractions, de bonne humeur perpétuelle et de « contacts » la rend malade. Derrière leurs bonnes manières, leur affectation, leur obséquiosité (quand elle s'y met, ma mère a un vocabulaire à nous faire croire que l'on est soi-même analphabète. Pas étonnant puisque tout le temps que j'ai été à la maison, elle lisait systématiquement une page de dictionnaire tous les soirs, avant d'aller se coucher, sans compter sa passion pour le scrabble, les mots croisés, et tous les livres qu'elle dévorait et qu'elle m'incitait ensuite à lire). Je reprends ma phrase parce qu'elle ne tolérerait pas une telle parenthèse dans mon propos. Donc, derrière leurs bonnes manières, leur affectation, leur obséquiosité, elle ne peut s'empêcher de percevoir leur terreur face au vieillissement, à la solitude, au silence définitif.

En plus, quand il fait très chaud, elle ne peut même pas nager parce que la piscine est pleine de corps-morts qui marinent sur place en pavoisant. Plus il fait chaud, plus ma mère a envie de se baigner, surtout en revenant du travail, mais moins elle va à la piscine. Elle s'y rend très tôt le matin, quand il pleut ou quand il fait trop frais.

On a glissé dans son courrier un mot l'avisant que les séchoirs à linge étaient interdits sur les balcons. Ça fait prolo. Ce n'était pas dit ainsi, mais le sens était là. Or, ma mère était une fanatique de la corde à linge. Elle s'était résignée aux séchoirs (elle en avait acheté deux), mais là, *niet*. Terminé le linge qui sent bon le dehors. Ma mère ne le prend pas.

Pas le droit aux jardinières suspendues sur le balcon ni autres bidules accrochés. Des fois que ça partirait au vent et que ça tomberait sur les ensembles chics de patio au-dessous et sur le beau monde.

Pas le droit aux BBQ non plus. Les fenêtres des autres copropriétaires peuvent être ouvertes (ils ont tous l'air climatisé...) et cela peut en déprimer certains de sentir de grisantes odeurs de viande grillée alors qu'ils viennent de manger une salade propre propre en surveillant leur ligne.

Les voisins, ma mère en a sa claque.

L'insonorisation a beau être «hautement supérieure», quand les fenêtres et les portes françaises sont ouvertes, l'insonorisation est nulle. Et sur les balcons, quand des voisins ont de la visite, ça devient infernal. Or, l'été est chaud et beau et on invite à qui mieux mieux, on mange dehors, on boit et on parle fort. Sans oublier «les musiques» d'ambiance, jazz, opéra, classique, new age, tout cela bien mixé pour former une mixture indigeste. La fin de semaine et les longs congés, mes parents mangent à l'intérieur ou ils vont au restaurant.

Derrière tout cela, comme toile de fond, il y a le bourdonnement continu de la ville, jour et nuit. Les sons montent, c'est connu, et habiter un condo de luxe, bien situé au cœur de la ville, près de tout ce qu'il y a d'intéressant à pied, ne protège pas du bruit de la circulation. C'est pourquoi il y a l'air climatisé. Mais ma mère et mon père trouvent que c'est de l'air artificiel. Et cela aussi est bruyant! Quand il fait vraiment trop chaud, ça aide un peu, mais les courants d'air, selon ma mère, c'est beaucoup mieux. Là où ils habitent, toutes les fenêtres donnent sur le même côté, soleil d'après-midi et soleil couchant... La piscine ferme à vingt heures. Mes parents aimaient bien faire baisser la température de leur corps en se baignant les soirs et les nuits de canicule. Terminé.

Je crois que je n'avais jamais vu ma mère dans un tel état. La vapeur sortait d'elle comme d'un Presto.

Au Jardin botanique, nous avons marché dans les sentiers et elle ne pouvait s'empêcher d'enlever les fleurs mortes, de ratisser la terre autour des plants déchaussés, d'arracher des mauvaises herbes en creusant pour aller jusqu'à la racine. Elle avait les mains et les genoux sales, mais elle avait l'air heureuse.

Ensuite, nous sommes allées manger des sushis et boire du vin blanc, à une terrasse.

Et je l'ai aimée, comme ça, décoiffée, un peu pompette, sa jolie robe de lin froissée et tachée d'herbe. Nous avons ri, à propos de tout et de rien. Elle a un peu pleuré. En fait, deux larmes ont coulé sur ses joues. Elle me reparlait d'où ils habitent. Elle avait des mots très durs pour décrire ce milieu où elle ne se sent pas à sa place. Je lui ai dit ce que j'avais pensé la première fois que j'y étais allée. Elle a ri à gorge déployée.

Elle était belle.

Par moments, elle ressemblait à une adolescente qui se révolte pour préserver son intégrité, pour ne pas être bouffée de l'intérieur par le monde qui l'entoure.

Puis, elle m'a demandé en me regardant avec gravité : « Dis, Catou, on n'est pas comme ça, ton père et moi ? N'est-ce pas ? »

Sa question était vraiment sérieuse.

J'ai attendu quelques secondes, puis j'ai répondu : « Un peu…, quand même », en souriant.

Elle a de nouveau ri.

Ma mère est une femme magnifique. Elle dit qu'elle a vieilli. Elle approche de la cinquantaine et ça lui fait très peur. Voir des retraités la déprime parce qu'elle en sera, un jour pas si lointain.

Moi, je la trouve touchante avec ses pattes-d'oie au coin des yeux quand elle sourit, sa petite ride en demi-lune au coin gauche de sa bouche quand elle est préoccupée.

Chapitre 11

J'ai couché avec Max. « Gros parleur, ti-faiseur. »
Il m'a tellement baratinée que j'ai fini par céder.

Il faut dire que ses mots m'avaient grisée autant que la bière. Il m'a chanté la pomme comme cela m'est rarement arrivé et j'avais drôlement envie de baiser. Or une fois au lit, je l'ai senti tout crispé, anxieux, essayant de performer, mais floppant de façon magistrale. Je l'ai rassuré un peu, mais sans essayer de le sauver à tout prix.

On a bu jusqu'à quatre heures du matin et je l'ai mis à la porte. Il chantait moins bien après qu'avant, et plus il persistait, plus je déchantais…

Aujourd'hui, c'est dimanche. J'ai dormi jusqu'à une heure. J'ai lavé mes beaux draps. J'ai fait le ménage.

Je n'ai pas mis le nez dehors. Je ne me suis même pas habillée.

Je récupère…

Chapitre 12

Justine est enceinte !

On a fêté ça, elle et moi, jusqu'à minuit.

Je lui ai offert un petit pyjama à pattes, une barboteuse et un beau gros toutou tout doux, tout mou qu'elle a tout de suite baptisé Monsieur Molasson.

J'avais aussi acheté une bouteille de champagne. Elle en a bu seulement une flûte, grossesse oblige, mais elle était tellement contente ! Pour Justine, du champagne avec des fraises, c'est « le boute du boute » pour célébrer une « grande occasion ».

Quand Justine rompait avec l'un de ses chums « problématiques », elle achetait une bouteille de champagne que nous buvions ensemble. Elle déblatérait alors sur le dernier « salaud » en liste, souvent en pleurant au début et en riant aux éclats à la fin. Nous avions vraiment l'art de dédramatiser ses ruptures, mais pour quelques heures seulement… Ce qui apparaissait d'abord comme « la fin du monde » finissait toujours par ressembler à un soap ou à un vaudeville hilarant qu'elle jouait devant moi, passant d'un personnage à l'autre, c'est-à-dire du sien à celui de l'ex de l'heure.

Moi, je fêtais et riais vraiment de bon cœur parce que, même si Justine vivait ses peines d'amour de façon catastrophique, j'étais super contente quand elle quittait enfin l'un de ses mecs.

De seize à dix-neuf ans, Justine a collectionné les « salauds ».

En fait, elle avoue maintenant qu'elle les « cherchait ». Plus un gars était possessif et jaloux, plus elle croyait qu'il l'aimait. Si un gars était trop gentil avec elle et qu'il la laissait vivre sa vie sans vouloir la contrôler ou sans s'inquiéter outre mesure à son sujet, c'est qu'il ne tenait pas à elle, qu'il ne l'aimait pas vraiment, ou bien c'était un tiède, un *drabe* incapable de passion. Elle préférait ceux qui étaient toujours après elle à lui brailler des « Cht'aiiiiiiiime ! Tu m'aimes-tuuuuuuuu ? », à lui téléphoner quinze fois par jour sur son cellulaire, à vouloir savoir où elle était, avec qui, pourquoi elle me voyait si souvent, à qui elle parlait encore au téléphone, pourquoi elle avait regardé tel type pendant un party, pourquoi elle avait mis tel vêtement sexy pour sortir, qui elle voulait « faire bander, au juste, amanchée d'même », je pourrais continuer sans fin, c'était délirant !

J'ai souvent eu très peur pour elle parce que plusieurs de ces gars qui l'aimaient « tellement » ont fini par lui fesser dessus physiquement, en plus de la rabaisser et de la tenir en laisse.

Je suis allée deux fois à l'hôpital avec Justine et ça, ce n'était vraiment pas drôle !

La première, elle avait le nez cassé et elle avait perdu trois dents. Sans parler des ecchymoses, des lèvres fendues, des yeux au beurre noir. J'étais tellement en colère de la voir ainsi que je hurlais dans l'urgence. Je voulais que la police vienne, que Justine porte plainte, qu'elle aille se réfugier chez ses parents ou dans une maison pour femmes battues, qu'elle échappe à ce « malade » qui l'avait tabassée.

Justine a refusé catégoriquement de porter plainte. Elle a maintenu, officiellement, qu'elle était tombée dans des escaliers.

Le lendemain, elle est rentrée chez elle retrouver son mec qui pleurait, qui s'est confondu en excuses et qui lui a juré n'importe quoi.

La deuxième fois, elle était avec un autre fou. Elle avait des os du poignet droit brisés, l'épaule démise et des côtes cassées. Il lui avait « accroché le bras lors d'une bataille d'oreillers »... Elle savait que je savais, mais pas question de l'admettre publiquement.

Je sais qu'elle m'a caché beaucoup de choses à ce sujet pour éviter ma colère, éviter que je lui répète à hauts cris ce que je pensais de tout cela, que je la somme d'agir.

Elle avait honte aussi, je crois. C'est pour cela, entre autres, qu'elle m'avait suppliée et fait lui promettre de ne pas en parler à ses parents lors des deux visites à l'urgence et les autres fois où j'ai bien vu qu'elle avait des bleus ou les lèvres tuméfiées.

La troisième fois qu'elle s'est ramassée à l'urgence, la dernière, je n'étais pas là. Elle n'a pas réussi à me joindre. En désespoir de cause, elle a appelé sa mère. Son père et sa mère sont allés avec elle à l'hôpital et les choses ont bougé ! Elle a porté plainte, elle est retournée chez ses parents et elle a fait une thérapie.

Pendant plus d'un an, elle s'est tenue plutôt tranquille... Elle disait : « C'est pas des hommes que j'ai peur, c'est d'moi. Chu certaine que chu encore capable d'aller m'en accrocher un pareil ! »

Quand elle a rencontré Charles, son chum actuel, elle a pris son temps.

Un peu parce qu'elle avait peur qu'il se révèle violent à la longue (les autres étaient des anges, au début), mais aussi parce qu'elle trouvait que leur relation manquait d'intensité...

Charles est loin d'être un *drabe* et elle le voit bien à présent. De plus, c'est un romantique, ce que Justine adore. Elle ne pourrait pas aimer un gars qui ne lui parlerait jamais d'amour et qui ne serait pas plein d'attentions pour elle.

Elle détestait Francis, à cause de cela. Elle trouvait que l'interdiction formelle de toute véritable manifestation d'amour entre lui et moi, alors qu'il était évident qu'on s'aimait, était une forme de violence aussi pire que celles qu'elle avait subies. C'était son point de vue. Pas tout à fait le mien. Mais je reconnais quand même que je devais cons-tamment me faire violence, avec Francis, pour faire avorter en moi tous mes élans d'amour à son égard. Et je subissais aussi comme une violence son amour muselé, nié, tué.

J'avais choisi inconsciemment cela, comme Justine avait recherché des hommes trop possessifs.

Charles est un amoureux démonstratif, mais ce n'est pas un dépendant affectif capable de tomber dans un delirium pseudo-amoureux au point de vouloir la tuer parce qu'il a peur de la perdre.

Elle est enceinte !

Ils vivent en logement pour l'instant, mais ils sont en train de se construire une maison. Charles y travaille beau-coup. Il est électricien et tous ses amis sont dans le domaine de la construction.

Justine n'a jamais été aussi radieuse.

Tout cela me fait beaucoup réfléchir. À ma conception de l'amour. De la vie. À ma peur presque maladive de tom-ber dans les patterns, style maison de banlieue, justement, avec jolie famille, cinéma maison, piscine, spa, BBQ le samedi soir avec des amis.

J'ai pourtant été très heureuse dans ce genre d'univers, jusqu'à mes quatorze ans. Qu'est-ce qui m'a rendue si allergique à tout cela ? Je n'aime pas la vie de banlieue, tout simplement ?

Je déteste tout autant d'autres styles de vie, comme celui du Plateau, avec ses codes précis qu'il faut respecter à tout prix pour être vraiment « urbain ». Où aller pour les 5 à 7 effervescents, avec qui se tenir, de quoi parler, quel livre avoir lu, quel film avoir vu. Dans quelle boucherie acheter son magret de canard, ses petites cailles, ses terrines et son boudin blanc. Où prendre ses endives, ses champignons enoki, ses câpres géantes, ses figues fraîches, ses fromages fins. Les vins qu'il faut boire, ceux qu'il faut dédaigner. Où se procurer son café, son chocolat noir, son pain, ses tourtes méditerranéennes. Pas question de sortir du territoire. Pas question non plus de recevoir ses amis sans originalités culinaires. On ne doit pas se servir de Jehane Benoit pour cuisiner, mais des derniers livres de recettes à la mode. Et suivre des cours à l'Institut de tourisme et d'hôtellerie.

Au fond, il n'y a rien de mal à tout cela ni à la vie que Justine va mener.

Ce n'est peut-être pas tant les modes de vie, quels qu'ils soient, qui me hérissent à ce point, qu'une certaine attitude. Une façon de se conformer à un style pour se donner un genre, faire partie d'une meute, aveuglément, quitte à y perdre son intégrité, son âme, pourvu qu'on ne se sente pas exclu, à part, niaiseux, out, seul.

Je ne peux pas supporter la suffisance crasse de ceux qui, parce qu'ils ont et qu'ils font « ce qu'il faut » pour faire partie de tel ou tel milieu, ne voient plus le reste du monde que par le petit bout de leur lorgnette et crachent sur ce qui ne leur ressemble pas.

Peut-être bien, aussi, que je me trompe. Peut-être que les gens, une fois rentrés chez eux, bien à l'abri derrière leurs persiennes en bois, sont plus fidèles à eux-mêmes, enlèvent enfin leur masque, ont des valeurs plus profondes et fondamentales que la marque de leur robinetterie italienne, de leurs vêtements de sport ou de leur machine à expressos.

Sauf que moi, ce n'est pas ce que j'ai vécu, il me semble, avec mes parents.

Quand j'ai voulu, parce que j'étouffais, arracher tout le paraître qui semblait me caractériser, il n'y avait rien dessous. J'étais vide.

J'avais beau regarder mes parents, qui étaient tout à fait normaux et qui s'aimaient et qui m'aimaient plus que tout, je n'arrivais pas non plus à les saisir de l'intérieur, en dehors des rôles qu'ils jouaient, même avec moi. Qui étaient-ils, chacun d'eux, pour vrai ?

Je ne sais pas comment je vais réussir à vivre. Je ne veux pas mourir, ce n'est pas du tout cela, mais on dirait que rien ne va de soi pour moi. Même respirer. Parfois, je respire trop vite, sans raison, et je deviens tout étourdie. D'autres fois, on dirait que j'oublie de respirer, je manque d'air, et je dois alors prendre de grandes respirations comme si j'avais passé trop de temps sous l'eau.

Chapitre 13

J'ai travaillé comme une girouette ces deux dernières semaines. J'ai remplacé trois personnes différentes qui ne s'occupent pas des mêmes genres de dossiers. Je ne les ai pas remplacées toutes en même temps, évidemment, mais pas à la suite non plus, plutôt en alternance. La première semaine, j'ai complètement paniqué, je ne savais plus où j'en étais ni où donner de la tête. La deuxième, je me suis calmé les nerfs ! J'ai fait ce que j'ai pu. Point.

Ce que j'ai écrit ici, la dernière fois, a continué de tourner en moi.

Hier, en me levant, j'ai décidé, comme ça, sans savoir précisément pourquoi, d'aller marcher dans le quartier où j'ai habité avec mes parents. J'avais envie de revoir la maison de façon plus détachée, étant donné que mes parents n'y habitent plus et qu'elle appartient à des gens que je ne connais pas. Des Asiatiques. Ce qui crée une distance supplémentaire. Je voulais ce recul.

Je n'ai rien ressenti de particulier. J'ai remarqué certaines choses qui ont changé, j'ai regardé si on prenait bien soin des plates-bandes de ma mère. Rien de plus. Aucune nostalgie, aucun jugement, aucune remontée de souvenirs, bons ou mauvais. Juste le sentiment d'être étrangère à ce lieu. Presque de n'y avoir jamais vécu.

Quelque chose d'autre s'est plutôt imposé à moi sans que je l'aie prévu. Je voulais maintenant revoir la maison de madame Fortier. Je me suis dit qu'elle ne devait probablement plus y habiter, surtout que, en tournant le coin de sa rue, j'ai tout de suite vu que la pelouse était bien tondue à l'avant. Mais les couleurs des frises, des fenêtres et des portes n'étaient pas celles que n'importe qui aurait choisies... Il y avait encore de l'insolite dans cette maison pourtant très semblable aux autres. J'essayais de voir, à part les couleurs, à quoi cela tenait.

J'étais totalement absorbée dans mon observation, lorsqu'une femme m'a demandé si elle pouvait m'aider.

Madame Fortier se tenait à ma droite, souriante, à quelques pas de moi.

Je l'ai reconnue tout de suite, même si ses cheveux sont un peu plus longs et d'un blond très spécial, épi de maïs ou je ne sais quoi. À l'époque, ma mère aurait certainement dit quelque chose comme : «Bien trop jaune ! Ça n'a pas de sens ! Elle a l'air d'un épouvantail !» Moi, je l'ai trouvée superbe, avec ses yeux toujours aussi limpides et maquillés de violet.

Elle a dit «Catou ?», incertaine.

Je ne sais pas pourquoi, je me suis jetée dans ses bras, bouleversée.

Elle m'a entraînée vers l'arrière de la maison et nous nous sommes assises dans son jardin anglais qui n'était plus une jungle mais un lieu secret, sacré, caché au milieu des autres cours avec leurs piscines et leurs aménagements étudiés, contrôlés, domestiqués.

Elle tenait ma main et nous nous regardions, sans rien dire, en souriant. Et ce n'était pas ridicule. Elle ne posait pas de questions et elle ne semblait pas surprise de ma présence. Nous étions là, simplement, après tant d'années.

Dans ma tête, je voulais lui demander pardon, je ne savais même pas de quoi au juste. Seulement pardon, pardon, pardon.

Elle m'a offert une limonade fraîche, que j'ai acceptée.

Elle est rentrée un moment et elle est revenue avec les verres.

Nous avons bu, en silence.

Je me sentais calme, dans ce jardin abrité, avec elle.

Un peu plus tard, je l'ai remerciée, je lui ai dit que j'allais partir et je me suis levée.

Lorsque nous sommes arrivées à la rue, elle m'a dit que je pouvais revenir quand je voulais. Ce que je vais faire, c'est certain. Elle m'a prise dans ses bras. C'était tellement réconfortant.

Je me suis éloignée en lui envoyant la main.

C'est fou, tout cela.

La dernière fois que nous avons eu un contact, elle et moi, c'est le jour de mes quatorze ans, juste avant que tout bascule. Ce n'est pas rien.

Sa fille, Gabrielle, était dans ma classe en première et deuxième secondaire. Même si elle ne faisait pas partie de mon groupe d'amies, il arrivait que nous parlions un peu. Sa case était à côté de la mienne. J'ajouterais que je ne lui parlais que si j'étais certaine que mes amies ne me voyaient pas.

Au secondaire, les cliques, c'est très fort. Gabrielle ne faisait partie d'aucune. Nous, on disait : « Elle fitte pas dans l'décor ! »

Elle ne s'intéressait pas aux mêmes choses que nous. Elle n'était pas comme nous.

Les autres la trouvaient plate. Moi, elle piquait ma curiosité. Elle était si différente. Elle était réservée, pas timide, mais elle nous intimidait. Son regard, aussi bleu et profond que celui de sa mère, et sa force tranquille, qui n'était pas feinte, ne cadraient pas du tout avec notre excitation superficielle.

Je me rappelle qu'un jour, elle m'avait dit, tout naturellement, en mettant ses bottes et son manteau : « Toi, tu n'es pas ce que tu montres. » Cela m'avait secouée, mais je ne lui ai pas laissé voir. J'avais répliqué, stupidement : « J'aime mieux avoir l'air de c'que j'ai l'air que l'air de c'que t'as l'air ! » Cela ne l'avait pas déstabilisée. Elle m'avait simplement demandé : « J'ai l'air de quoi ? » Je ne savais pas quoi répondre. J'avais fini par dire : « Seule ! » Ses yeux étaient devenus pleins d'eau. J'avais regretté de lui avoir dit cela.

L'été suivant, j'ai appris qu'elle avait la leucémie. Elle n'est pas revenue au collège à l'automne. Quelques mois plus tard, sa mère m'a appelée et m'a dit que Gabrielle aimerait me voir. Sous le coup de la surprise, j'ai dit : « D'accord. »

La première fois que je suis entrée dans leur maison, je me suis sentie catapultée dans un autre monde. Rien n'était « conforme », sauf le poêle, le frigo et le lave-vaisselle qui étaient bien à leur place. Le salon, qui était encore probablement aussi le salon, était devenu l'atelier de peinture de madame Fortier, parce que c'était là que la lumière était la meilleure. La salle à manger, dont les portes françaises étaient entrouvertes, était la chambre de Gabrielle. J'étais déboussolée.

Mais ce n'était rien comparé au moment où j'ai vu Gabrielle allongée sur son lit. Elle était chauve, maigre et blanche comme un drap. On aurait dit qu'elle éclairait la pièce de sa seule présence.

Je ne savais pas où me mettre. J'étais mal, j'avais peur, j'avais envie de vomir.

Pourtant, quelque chose me magnétisait chez Gabrielle. Ce sourire saillant dans son visage décharné, son regard intact.

Et puis, elle m'a dit : « Merci, Catou. »

Sa mère m'a approché une chaise tout près du lit et Gabrielle a pris ma main dans la sienne.

Nous sommes restées sans rien dire une bonne heure et Gabrielle a fini par s'endormir.

Sa mère est revenue. Elle a retiré la main de Gabrielle de la mienne et elle l'a délicatement posée sur le drap. Puis, elle m'a aidée à me relever. Je serais restée là je ne sais pas combien de temps. Tout s'était étrangement apaisé en moi. Je n'avais rien à faire, rien à dire. Juste à être moi.

Je suis allée quatre fois la voir et cela s'est toujours passé de la même façon.

La dernière fois, j'avais acheté la petite figurine : une ange pour veiller sur Gabrielle, exactement celle que sa mère m'a redonnée pour mes quatorze ans.

Gabrielle est morte quinze jours plus tard.

Je ne suis pas allée à ses funérailles.

Mes parents et mes amies n'étaient pas au courant de ces visites.

Huit mois plus tard, le père de Gabrielle mourait à son tour, brutalement, frappé de plein fouet par un camion de déneigement.

Chapitre 14

J'ai eu une discussion un peu houleuse, avec ma mère…
Ça faisait une éternité que cela ne s'était pas produit. Tout va tellement mieux entre nous. On est plus détendues. C'est agréable. Elle me parle d'elle, pour vrai, et moi aussi.

C'est probablement normal, quand on se voit plus souvent et qu'on ose dire davantage ce qu'on pense, que ça accroche de temps à autre.

Quand je suis allée habiter avec Francis, on ne se voyait presque jamais, elle et moi, et on se disait des banalités quand on se parlait. Ou on s'engueulait quand elle essayait de s'immiscer dans ma vie.

Elle a beaucoup changé par rapport à moi, ces dernières années.

Avant, entre mes quinze et dix-huit ans, elle me faisait toujours sentir que je n'étais pas correcte, que je vivais tout croche. Elle essayait de reprendre le contrôle, de remettre de l'ordre dans cette dérive totale qu'était devenue ma vie à ses yeux. Je mangeais mal alors que les armoires et le frigo étaient pleins de choses bonnes pour ma santé. Mon langage laissait croire que je n'avais aucune éducation alors que j'avais été dans les meilleures écoles privées. Mes amis du cégep étaient plus que douteux pour elle. Elle avait trouvé du pot et du hasch dans ma chambre. Elle trouvait vulgaires mes camisoles et mes jeans à taille basse. Elle m'achetait parfois des robes dans l'espoir que je les porte, au moins pour lui faire plaisir. Je n'en ai jamais mis une seule. Je me couchais et me levais bien trop tard à son avis. C'est pour cela que je manquais autant d'énergie, selon elle, que j'étais si apathique, que j'avais les yeux cernés et le teint blafard. Elle m'achetait des vitamines, de l'orge verte, de la spiruline et des crèmes de toutes sortes pour le visage et pour le corps. Elle me trouvait si peu en forme qu'elle m'a inscrite à deux reprises, sans m'en parler, au gym où elle s'entraînait. Je n'y suis pas allée. Si elle m'avait vue danser des nuits entières dans les raves, elle aurait laissé faire.

Cette fois, ce n'est pas en me jugeant et en m'enterrant vivante sous une avalanche de reproches et de conseils qu'elle a empiété sur mon territoire. Au contraire! C'est avec une gentillesse remarquable. Mais c'est une autre forme d'intervention et de manipulation de sa part que je ne peux pas supporter davantage.

Elle le faisait à tour de bras avant mes quatorze ans. Elle a essayé après, mais ça ne marchait plus. Je ne comprenais pas, à cette époque, pourquoi je ne devais plus la laisser faire, mais je sentais que c'était primordial pour ma survie. Je me trouvais souvent dure, dans ces situations, ingrate, méchante de lui « faire ça », mais je devais tenir mon bout.

Même aujourd'hui, lorsque c'est devenu tendu entre elle et moi, j'ai senti remonter cette vieille culpabilité. La différence, c'est que je comprends un peu mieux à présent la dynamique qui se met en place, dans ces moments, et l'effet que cela a sur moi.

Cela part d'une très bonne intention chez ma mère. Je n'en doute pas.

Jusqu'à mes quatorze ans, ma mère a toujours « tout fait » pour m'encourager dans mes élans, mes désirs, mes projets. Il n'y a aucun mal à cela, semble-t-il. C'est non seulement légitime mais admirable qu'une mère épaule ainsi sa fille sans jamais faillir.

Je n'en suis pas si sûre.

Il suffisait que je manifeste un quelconque intérêt pour quelque chose et elle s'y engouffrait, la tête la première, me devançant rapidement sur mon propre terrain, dans mes propres désirs.

À dix ans, j'ai fait une petite recherche sur les papillons pour l'école. Cela m'a passionnée.

J'ai affiché, sur le tableau dans ma chambre, une reproduction, une seule, de celui que j'aimais le plus. Un petit papillon crépusculaire tout blanc, avec de délicates ailes qui ressemblaient davantage à des plumes, et de longues pattes fines, immaculées elles aussi. C'était sa grâce que j'aimais, sa fragilité.

Ma mère n'a fait ni une ni deux. La semaine suivante, j'avais, sur mes murs, six beaux vrais gros papillons très colorés (mais pas mon joli ptérophore blanc) enfermés dans des boîtes de bois vitrées.

Après, j'ai eu droit à toutes sortes de papillons, en soie, en vitrail, en porcelaine, en origami, en plastique, en n'importe quoi. J'en avais une véritable collection.

Nous sommes allées plusieurs fois voir l'exposition des papillons morts et encadrés de l'Insectarium, et nous nous sommes aussi promenées parmi des papillons vivants dans une grande serre du Jardin botanique transformée en volière.

J'ai reçu des livres d'entomologie, ma mère a repéré pour moi tous les sites intéressants dans Internet, j'ai écouté des documentaires et j'ai même assisté à des conférences sur le sujet.

Quand ma mère faisait des tartes, elle les décorait désormais avec des papillons découpés dans la pâte.

J'aimais les papillons !

Tout le monde le savait dans la famille et c'était à celui ou celle qui me rapporterait ou qui m'offrirait le plus original, le plus rare. Mais jamais mon petit papillon blanc de nuit. Je ne l'ai d'ailleurs jamais demandé. Comme si, celui-là, je voulais le garder pour moi toute seule, vivant, dans mon cœur.

J'aimais effectivement les papillons et j'ai beaucoup appris les concernant, mais toute cette folie obsessionnelle, ce n'était pas réellement mon trip à moi.

Je ne sais pas à combien de cours ma mère a pu m'inscrire ainsi, cours que j'ai dû suivre en me convainquant moi-même que j'aimais cela. Ni combien de choses j'ai pu recevoir avant même d'avoir eu le temps de les désirer ou alors que je n'en voulais absolument pas. Il suffisait que je laisse échapper une remarque en voyant un objet, comme cette fois, dans une boutique équitable, « Ah ! C'est beau les motifs et les couleurs ! », pour me ramasser avec un *chullo* péruvien, c'est-à-dire un bonnet de laine à oreillettes multicolore, les gants et les gros bas aux genoux assortis en prime ! Me connaissant quand même un peu, ma mère n'allait quand même pas croire que je porterais « ça » ! Alors je lui ai fait croire que je préférais les garder comme « spécimens ethnologiques ». Elle a aimé mon vocabulaire et j'ai réglé mon problème de cette façon.

Cette attitude, chez elle, qui se voulait certes aimante et généreuse, m'empêchait de débroussailler par moi-même la forêt de mes propres désirs, d'explorer lentement qui j'étais, ce que je voulais, ce à quoi je tenais vraiment et de quoi j'étais capable.

Elle l'a refait, dernièrement.

Quand elle est venue chez moi la fois du Jardin botanique, elle a vu que j'avais fait un peu d'aquarelle. J'avais sorti un livre de la bibliothèque et j'avais décidé de m'y essayer. Je m'étais acheté une petite tablette, deux pinceaux et six rondelles de couleur.

Juste comme ça, pour le plaisir, avec presque rien.

Je n'avais pas d'autre ambition que de m'amuser à toucher le papier poreux avec la pointe d'un pinceau chargé d'eau et de couleurs pour essayer d'y créer des formes. Les effets étaient toujours inattendus, surprenants, imprévisibles. Une maison se transformait sous mes yeux en méduse. Sur la corde à linge, les vêtements se mettaient à fondre au soleil et à couler vers le sol. Le chat n'était plus qu'une grosse boule noire hérissée de partout, sans queue ni tête. C'était fascinant.

Six jours plus tard, ma mère est revenue avec le kit complet et dispendieux de la parfaite aquarelliste, plus trois beaux livres sur le sujet. Et pour me faire vraiment plaisir, elle m'avait inscrite à l'un des meilleurs cours en ville, pour l'automne.

Je n'ai pas réagi sur le coup. Elle m'avait prise au dépourvu. Je n'avais pas prévu que nous pouvions retomber dans cet ancien schéma.

Elle est partie, fière et heureuse de son coup, et je n'ai pas osé lui dire que je n'aimais pas ce qu'elle venait de faire. J'avais peur de détruire le fragile lien que nous étions en train de construire sur d'autres bases. Du moins, c'est ce que j'espérais.

Mon intérêt pour l'aquarelle s'est éteint d'un coup sec, comme si ma mère venait d'y jeter une chaudière d'eau froide. J'ai tout plaqué là et je n'y ai pas retouché. Ça ne m'intéressait plus.

Quand elle m'a rappelée, elle m'a demandé où j'en étais avec mon aquarelle. Je lui ai dit que je n'avais pas eu le temps d'y toucher, que j'avais beaucoup de travail et que j'étais trop fatiguée.

Aujourd'hui, quand elle a décidé de venir, je n'ai pas eu envie de me défiler.

Elle voulait voir mes chefs-d'œuvre ! Elle est venue.

Il n'y avait rien à voir.

Elle ne comprenait pas ! Je n'avais même pas déballé le beau matériel professionnel qu'elle m'avait offert !

Je lui ai dit que le goût de l'aquarelle m'était passé, d'un coup sec, que je n'avais plus du tout envie d'en faire.

« Ça s'peut pas, tu avais tellement l'air d'aimer ça ! Il va absolument falloir que tu m'expliques un tel retourne-ment ! »

J'ai pris mon courage à deux mains et j'ai osé lui expliquer, sans détour, ce qui m'avait si subitement coupé les ailes. C'est-à-dire ce que j'avais ressenti quand je l'avais vue arriver avec son parcours tout tracé pour moi, ses objectifs, ses attentes.

Elle a pleuré. Elle a dit que j'étais injuste.

Ensuite, nous nous sommes querellées. Plein de choses sont sorties, de part et d'autre.

Elle a compris, je pense, qu'elle me volait en quelque sorte ma vie en agissant ainsi.

De mon côté, pour la première fois, j'ai ressenti viscéralement l'ampleur de l'inquiétude, de la peine et de l'impuissance qu'elle n'a jamais cessé de vivre, par rapport à moi, depuis maintenant huit ans.

Après, il y a eu un long silence.

Puis, cela m'est revenu, avec elle, cette fois, le même besoin irrépressible de demander pardon. Et je l'ai fait. J'ai demandé pardon à ma mère.

Elle m'a prise dans ses bras et, sans que je m'y attende le moins du monde, elle m'a aussi demandé de lui pardonner pour tout le mal qu'elle avait pu me faire, sans même le savoir. Elle ne cherchait pas à se justifier ni à sauver la face.

Je suis restée longtemps collée contre elle. Elle sentait le muguet, *Diorissimo*, comme quand j'étais petite.

Troisième partie

Les émotions, les sentiments, les images, tout cela va et vient comme une marée houleuse, et je risque d'être emportée.

LOUISE DUPRÉ, *La memoria*

Chapitre 15

Plus d'un mois que je n'ai pas écrit. Je suis dans un down. En chute libre. Sans raison précise.

J'ai terminé mon travail au CLSC, il y a presque trois semaines. Il est possible que j'y retourne sous peu parce qu'une des travailleuses sociales est enceinte de quatre mois et qu'il est probable qu'elle soit obligée de cesser de travailler. Un retrait préventif. Elle a déjà fait deux fausses couches. J'espère qu'on va la mettre en congé, pour elle, pour son bébé et aussi pour moi. Je ne veux pas retourner travailler comme préposée. J'aurais l'impression de régresser.

D'ailleurs, je régresse…

On arrive à la fin d'octobre. Il fait froid, il pleut et il vente.

Les journées raccourcissent, mais je les trouve trop longues.

Je passe beaucoup de temps à l'appart et ça me déprime. J'ai beau lire, faire toutes sortes de choses, dont de l'aquarelle…, sortir, je me sens seule.

Quand Francis est parti, je terminais mon bac. Peu de temps après, je commençais au CLSC. J'étais toujours très occupée.

Là, je ne le suis plus.

C'est la première fois de ma vie que je me retrouve vraiment seule. Je ne le sentais pas l'été dernier. Je me sentais légère après les derniers mois de cohabitation difficiles avec Francis, et son départ qui a traîné en longueur. Je me sentais libérée.

Maintenant, j'ai plutôt le sentiment d'être sans amarres. D'être larguée. Par personne, mais larguée. Abandonnée à moi-même. Abandonnée.

Quand je vois mes parents, c'est maintenant beaucoup plus ouvert entre nous, chaleureux même, sauf que je ne les sens pas bien non plus. On dirait que le fait d'avoir abouti dans ce «condo de rêve» (c'est écrit dans la publicité) les a plongés en plein cauchemar. Ils sont en train de faire le bilan de leur vie. Comme s'ils étaient arrivés au bout de leur route et qu'ils se disaient : «Tout ça pour ça ! Ne reste plus qu'à mourir à petit feu en se regardant ratatiner.» Je les sens se débattre dans leur sarcophage doré.

Je leur ai demandé pourquoi ils restaient là puisqu'il est clair que cet endroit les rend tous les deux très malheureux.

Ils m'ont alors expliqué à quel point la vente de la maison et leur déménagement avaient été difficiles.

Ça faisait vingt-trois ans qu'ils habitaient la maison qu'ils avaient fait construire quelques mois avant mon arrivée. Quand l'agent immobilier a planté l'affiche «À vendre» dans le gazon, ils en ont eu pour des jours à s'en remettre. Et quand le collant «Vendu» a été placardé dessus, ils ont pleuré tous les deux même si tout cela était leur choix et que leur décision avait été longuement mûrie. C'était beaucoup trop grand et il fallait refaire le toit, changer les fenêtres, faire réparer la piscine creusée qui était lézardée à plusieurs endroits, etc. Et ils avaient besoin de changement, d'avoir un nouveau projet ensemble.

Entre la vente et le déménagement, cela a été pire encore, paraît-il. Chacune des choses qui étaient entrées et qui s'étaient inscrites dans l'âme de cette maison, au fil du temps, était passée au crible. On jette? On donne? On garde? Ils plongeaient à pleines mains dans leurs souvenirs, heureux et malheureux.

«Casser maison.» Cette expression revenait souvent dans leur bouche et elle les écorchait vifs.

Ils ont fini par couper court, pour mettre fin au plus vite à cette torture, et ils se sont débarrassés de presque tout. D'autant plus qu'on leur offrait les services d'un designer pour le condo et qu'il semblait difficile de concilier leur ameublement et le style de leur nouvel appart.

Je n'ai rien su de tout cela. Je n'ai rien vu. Cela me fait de la peine aujourd'hui. J'aurais dû être plus près d'eux. J'aurais dû deviner.

Ils se sont retrouvés dans leur beau condo comme dans un hôtel chic.

Au bout de quelques mois, mon père aurait dit à ma mère, un soir où il avait un peu forcé sur le scotch : « Quand est-ce qu'on rentre à la maison? »

Ça ressemble un peu à ce que je ressens moi aussi. « Quand est-ce qu'on rentre à la maison? » Pas leur maison à eux, pas avec eux.

Elle est où, ma maison à moi?

Pas une vraie maison, mais quelque part où je me sente bien, avec quelqu'un que j'aime, avec quelqu'un qui m'aime.

« E.T. téléphone maison. Maiiiiiiisoooon… »

Chapitre 16

Même jour, même poste. Deux heures plus tard.
Tout à l'heure, j'ai arrêté d'écrire à cause de « E.T. téléphone maison »… J'avais la gorge toute nouée.

Mettons que ça ne me prend pas grand-chose ces temps-ci.

Au lieu de sortir ou de faire quelque chose qui me changerait les idées, j'ai écouté de la musique. Et pas n'importe laquelle : des chansons qui me font pleurer, justement. Pas forcément parce qu'elles sont tristes.

Quand j'ai le motton, ça m'arrive de partir ainsi moi-même la machine à pleurer. Ça soulage, on dirait.

Je dois être en dépression…

Je dis cela, mais je ne le crois pas du tout, même si je suis effectivement déprimée ces temps-ci.

Ça « pense » beaucoup… Le hamster a repris du service dans ma tête.

On dirait que je passe mon temps à tout observer autour de moi, à tout absorber, et à me remettre constamment en question.

Francis m'a téléphoné, il y a deux ou trois semaines. J'y repense encore. Pas parce que Francis me manque.

Il est revenu du Honduras pour suivre des cours et une formation. Il va y retourner dans quelques mois. On lui confiera alors un travail plus précis, en gestion. Il a rencontré une fille, là-bas, qui était partie elle aussi parce qu'elle était dans un cul-de-sac. Elle reçoit la même formation que lui et ils vont repartir ensemble.

Je crois que Francis était content, fier même, et avec raison, de me montrer qu'il s'était repris en main. Il m'a dit qu'il n'oubliait pas pour l'argent. Il s'est aussi informé de moi.

Quand j'ai raccroché, j'étais enragée ! Rien de moins. Même si l'appel avait été en apparence super cool. Je n'arrivais pas à savoir pourquoi j'étais si en colère. Je ne le sais pas davantage maintenant.

Peut-être juste parce que j'entendais sa blonde roucouler, à côté de lui, pendant qu'il me parlait, et que je me disais que jamais il ne m'aurait permis de faire cela avec lui.

Je dois vraiment être nulle, moi !

Chapitre 17

Justine m'a invitée à souper chez elle, chez eux, dans leur nouvelle maison.

Charles était là.

C'était très agréable, mais ça ne m'a vraiment pas remonté le moral. Loin de là !

Depuis que je ne travaille plus, je bois de plus en plus souvent et de plus en plus quand j'ai mal.

Et j'ai mal souvent.

Donc, en rentrant, j'ai bu.

Trop.

Chapitre 18

Lendemain midi.

Mal à la tête et mal au cœur, dans tous les sens du terme.

Pourtant, j'ai envie d'écrire quand même. Je ne sais pas pourquoi. On dirait que ça me console.

Donc, copier-coller, je reprends.

Justine m'a invitée à souper chez elle, chez eux, dans leur nouvelle maison.

Charles était là.

C'était très agréable, mais ça ne m'a vraiment pas remonté le moral. Loin de là !

C'est une très jolie maison. L'intérieur n'est pas totalement fini, il y a encore beaucoup de travail à faire, c'est un chantier, mais Charles y voit.

Justine a l'air heureuse comme je ne l'ai jamais vue. Elle va accoucher en janvier.

Elle n'en revient pas de tout ce qui lui arrive.

Moi non plus.

Je n'ai jamais été jalouse de Justine. Il n'y avait pas de quoi, on me dira. Je pense que je ne suis pas de nature jalouse, mais là, je dois avouer que c'est ce que j'ai éprouvé hier soir.

On dirait un nid chaud, douillet, même si tout est à l'envers.

Charles veille sur Justine comme si elle était la huitième merveille du monde.

Qu'est-ce qui m'arrive, bordel ?

Chapitre 19

J'ai décidé de ne plus écrire et de ne plus boire pendant quelques jours.

Ça n'a rien changé. J'ai toujours aussi mal.

Dernièrement, ma mère m'a dit, probablement pour m'encourager, parce qu'elle voit bien que je bats de l'aile : « Catou, toi, tu as la vie d'vant toi ! »

La vie devant moi. La belle affaire !

« Anne, ma sœur Anne, que vois-tu venir à l'horizon ? » Rien !

Je ne me comprends plus.

Chapitre 20

Le CLSC m'a appelée. Je reprends le travail lundi, dans trois jours. Ça va me changer les idées, parce que je les ai plutôt noires.

Je n'ai cependant pas pensé un seul instant à avaler n'importe quoi, y compris de l'eau de Javel, pour disparaître.

J'ai besoin de m'occuper des problèmes des autres pour oublier les miens.

Quels problèmes ?

À part le fait que, avant-hier, mon père est entré d'urgence à l'Institut de cardiologie, inconscient !

Ma mère m'a appelée vers minuit, mercredi, et j'ai pris un taxi pour la rejoindre à l'hôpital où mon père venait d'être transporté en ambulance.

Il s'était écroulé sous les yeux de ma mère, et il n'était pas revenu à lui.

Ma mère était complètement affolée, je ne l'avais jamais vue dans un tel état.

J'ai essayé de la rassurer du mieux que j'ai pu, mais j'avais tellement peur moi aussi ! J'en tremblais de tout mon corps et j'avais une si grosse boule dans la gorge que j'avais de la difficulté à avaler ma salive. Je ne savais pas trop quoi dire, quoi faire.

Alors je me suis tue et je suis restée assise, collée contre elle, mon bras droit passé autour de ses épaules.

Nous avons attendu je ne sais combien de temps. Une éternité !

Ma mère a fini par se calmer. Elle a continué à parler, mais plus doucement et de façon tellement touchante !

Elle disait à quel point elle aimait cet homme. L'homme de sa vie !

Je n'avais jamais entendu ma mère parler de mon père comme une femme parle à une autre femme de l'homme qu'elle aime, profondément. C'était tellement beau.

Puis, elle s'est remise à pleurer en disant que c'était sa faute à elle s'ils avaient choisi ce condo au lieu de la maison à la campagne dont mon père rêvait. Que c'était cela qui l'avait rendu malade. Que s'il mourait, elle ne se le pardonnerait jamais.

J'ai dit « Non ! Non ! Vous avez pris la décision ensemble, tu n'es pas responsable de ce qui arrive ! », mais elle ne m'entendait pas, je crois.

Elle continuait à parler de mon père et je me suis rendu compte que c'était à elle-même qu'elle parlait à voix haute.

Elle ne me « voyait » pas, mais ma présence devait la réconforter quand même un peu, j'imagine. Elle pouvait s'épancher, donner libre cours à tout ce qui la traversait sans retenue, au lieu de rester pétrifiée sur un banc, une femme seule, dans une salle d'attente, muette et anonyme dans sa douleur.

Le médecin est enfin apparu et ma mère a pu aller voir mon père, qui avait repris conscience.

Ce n'était pas un infarctus, ni un AVC, comme on le redoutait, mais un problème d'influx nerveux électrique trop faible pour que le cœur de mon père se contracte normalement, suffisamment. On allait lui poser un stimulateur cardiaque.

Ma mère, revenue dans la salle d'attente, me « voyait » à présent. Elle souriait, le visage mouillé de larmes. Elle m'a prise dans ses bras et elle m'a dit à l'oreille : « Ton père t'attend. »

J'ai suivi l'infirmière, un peu comme un zombi.

Quand je l'ai vu, mon cœur a presque flanché à son tour, mes jambes sont devenues toutes molles et je n'étais pas certaine d'arriver à me rendre jusqu'à son lit. Il avait des tubes partout et il était branché à un moniteur et à d'autres machines.

Il a ouvert les yeux et il a dit, faiblement : « Catou… » Il avait l'air si heureux que je sois là, mais il paraissait tellement vulnérable, démuni !

Et cette fragilité de mon père m'a complètement bouleversée.

J'ai soudain regretté de l'avoir privé de moi tant d'années. De m'être privée de lui tant d'années.

Mon père est mortel ! Je ne le savais pas jusqu'à cet instant.

C'était l'Homme.

Or, il est maintenant « un homme ».

Juste un homme, mais celui que j'aime le plus au monde.

Chapitre 21

Mon père est sorti de l'hôpital et il prend du mieux. Il est même joyeux ! Ma mère aussi. Ils passent leur temps à rire !

Cela me réconforte de les voir ainsi.

Et ça me fait du bien de travailler de nouveau, de retourner au monde «normal». Les gens étaient très contents de me revoir.

Isabelle est en retrait préventif, comme cela s'annonçait. Je l'ai remplacée, cet été, pendant ses vacances, et ses dossiers ne me sont pas étrangers.

En moins de deux semaines, j'ai trouvé mon rythme. Il faut dire que c'est rassurant de savoir que je vais rester là plusieurs mois, peut-être plus d'un an si la grossesse d'Isabelle se passe bien et qu'elle prend ensuite son congé de maternité.

C'était stressant de faire du remplacement, cet été, alors que je n'avais aucune expérience. Par contre, j'ai appris beaucoup en très peu de temps et je n'ai pas l'impression de travailler dans ma petite bulle. Je sais ce que les autres font, je connais une foule de ressources et je suis à l'aise pour appeler ou rencontrer tel ou tel intervenant vers qui je dois diriger quelqu'un. Pendant les réunions multidisciplinaires, je suis moins timide et j'interviens à l'occasion.

J'ai vécu un passage à vide. Un vrai. Un dur.

Comme celui que la chenille doit vivre, enfermée dans son cocon, pendant qu'elle se transforme en papillon.

C'est ce qui m'a toujours le plus fascinée : la chrysalide.

Il y a une chenille.

Un jour, elle tisse autour d'elle un cocon de soie qu'elle accroche à une branche ou ailleurs.

Ensuite, enveloppée dans son linceul, elle cesse de bouger. Elle respire à peine.

Commence alors le long processus qui va inévitablement la faire disparaître, elle, en tant que chenille.

Qu'est-ce qui lui arrive, au juste, pendant cette étape appelée « nymphose » ?

Son corps se déforme, se boursoufle, explose. Des morceaux se détachent d'elle. Elle perd ses pattes et ses fausses pattes, ses poils et plein d'autres choses qui faisaient d'elle une chenille. Sa peau devient toute noire, se ride, se décompose. Des excroissances lui poussent de partout.

Elle ne se reconnaît plus !

J'ai longtemps trouvé cette phase abominable. Je me disais que la chenille devait avoir atrocement mal. Qu'elle devait bien sentir cet anéantissement progressif.

Un entomologiste à qui j'en avais parlé, adolescente, m'avait dit que je faisais de l'anthropomorphisme, que je projetais sur la chenille mes sentiments humains.

C'était vrai. Moi, je me mettais à la place de la chenille, dans le cocon. Et même si je savais qu'il allait en sortir un papillon, qu'il s'agissait d'une « transformation » et non d'une véritable mort, je trouvais cruel ce passage qui incluait obligatoirement sa destruction à elle.

Or, la chenille ne souffre pas quand elle vit sa métamorphose. Pas plus que le fœtus ne souffre quand il lui pousse des jambes, des bras, des doigts, des yeux.

Alors que moi, ça me fait parfois très mal de me transformer lentement en femme.

Quatrième partie

On ne sait pas comment se produit le tournant. Rien de précis,
mais imperceptiblement, le regard se déplace, et on bouge, on
se remet à bouger. On ouvre des
portes [...].

LOUISE DUPRÉ, *La memoria*

Chapitre 22

Quelqu'un me dérange au travail. Un peu, beaucoup, passionnément…

La première fois que je l'ai vu, l'été dernier, cela a tout de suite fait *Tink*! Et ça n'a pas cessé par la suite!

Depuis que je suis revenue, c'est dix fois pire. Cent fois!

Et je ne le laisse pas indifférent. Je le sens. Parfois, j'ai même l'impression qu'il se cherche des raisons pour avoir à me parler, de travail, bien sûr.

Mais nous restons tous les deux sur nos gardes. Moi, du moins. Pour lui, c'est peut-être autre chose.

J'ai parlé de lui avec Justine à plusieurs reprises.

La dernière fois, nous avons rigolé en imaginant mille situations où je l'« abordais », puisqu'il ne le fait pas.

« Justine, ma sœur Justine, que vois-tu venir à l'horizon? »

« Un beau grand voilier, ma noire! Et il n'est pas pantoute à l'horizon, il est juste à côté! À l'abordage, Cat! »

Je m'agrippe alors à un long cordage attaché au mât et je me tire dans le vide pour voler vers ce bateau que je ne veux pas fantôme!

J'atterris sur le pont, souplement mais avec détermination, sur mes deux jambes qui ne sont pas du tout de bois…

« Vous marinez encore chez vos harengs? »

Dans la réalité, je n'ose pas l'« aborder » parce que j'ai peur de me faire jeter par-dessus bord avant même d'avoir pu lui demander : « Seriez-vous par hasard le trésor que je cherche depuis tant de temps en parcourant inlassablement les mers ? »

En fait, Justine a plutôt dit : « Montrez-moi vos cales, je suis certaine que vous y cachez un trésor sur lequel j'aimerais bien mettre la main ! »

Nous déconnons, Justine et moi, et ça me ramène à la réalité parce que, mine de rien, je suis en train d'en faire une obsession alors qu'il ne s'est strictement rien passé entre lui et moi, il ne s'est rien dit, pas même l'anodine mais combien efficace petite question : « Ça te tente-tu qu'on aille prendre une bière ? La réunion a été longue ! »

Il s'appelle Christian. Il est psychologue depuis six ans au CLSC. Il travaille aussi dans un centre hospitalier. Il n'est donc pas toujours là.

Il doit avoir autour de trente ans, je suppose.

La semaine dernière, Justine est venue au CLSC et elle s'est installée dans la salle d'attente. Elle voulait absolument voir de ses yeux « l'objet de ma fixation »... Elle a attendu près de trois quarts d'heure avant que Christian sorte de son bureau et se dirige vers la réception où elle a pu l'observer à sa guise. Verdict : « C'est le tien, Cat ! »

Le problème, c'est qu'un gars comme lui, ça ne doit pas vivre seul, à moins d'avoir un problème justement, un « vice caché »...

Il ne porte pas d'alliance et il n'y a pas de photos de « sa petite famille » dans son bureau, comme la plupart en mettent.

Il est peut-être homosexuel, même s'il n'en a pas l'air. On ne sait jamais.

Si je ne me décide pas à l'aborder sur un autre terrain que le travail, Justine tient mordicus à ce que, au moins, je m'informe subtilement de son «statut matrimonial» auprès de mes collègues. Pour en avoir le cœur net.

Ben oui! Elles ne vont pas comprendre où je veux en venir avec mes gros sabots! D'autant plus qu'il y en a déjà deux qui sourient quand elles voient mon malaise en sa présence. Quand nous avons à nous parler, lui et moi, le cœur me débat, j'ai chaud et je suis certaine que je deviens toute rouge.

Je pourrais aussi faire passer un petit questionnaire bidon à tout le monde avec des trucs à cocher du style: Marié, séparé, divorcé, union libre, célibataire? Hétéro, homo? Âge? N'oubliez pas d'inscrire aussi votre adresse et votre numéro de téléphone personnel, merci. Et tant qu'à y être, avez-vous une MTS? des tares physiques ou mentales que vous dissimulez? des enfants?

Je n'ai rien contre les enfants. Au contraire. Mais s'il en a, j'aimerais bien que ce soit avec moi. Hi! Hi!

Je déconne encore, mais je ne peux pas m'en empêcher. Ce gars-là me vire toute à l'envers.

Justine m'a demandé ce que j'aimais le plus en lui. Son rire. Le fait qu'il aime les sandwiches aux concombres. Sa voix, surtout quand il prononce mon nom... Il a toujours des bonbons au caramel dans ses poches. Il en donne, mais je ne l'ai jamais vu en manger. Ses mains... indescriptibles. Sa démarche, juste un peu chaloupée, comme s'il était toujours sur le point de se mettre à danser. Ses yeux verts «pour l'amour», comme dans la chanson de Ferland...

Quand j'ai eu fini, parce que cela a été long, Justine a dit que mes réponses étaient nounounes à souhait, comme celles d'une groupie. Que c'était très bon signe! Je suis sur la bonne voie, je me décoince!

Je me méfie quand même un peu du fait qu'il soit psy. Il doit tout analyser, tout le temps. Déformation professionnelle. Il est peut-être justement en train de faire mon évaluation psychologique avant de décider s'il plonge ou pas.

Ou, plus simplement, il vit avec une femme qu'il aime, des enfants. C'est une excellente raison pour ne pas tout foutre en l'air même s'il est évident que je lui plais.

Chapitre 23

Hier matin, samedi, mon père m'a appelée.
Il m'a dit : « Prépare-toi, Catou. On va te chercher dans une heure. On a quelque chose à te montrer ! »

Je venais tout juste de me lever. J'étais un peu éberluée par ce coup de téléphone. Mes parents ont tellement changé en quelques mois qu'ils n'arrêtent pas de me surprendre.

Dans l'auto, ils ont refusé de me dire où on allait. Ils étaient excités comme des enfants.

On a pris le pont et la 10.

Ma mère a grandi dans un petit village de l'Estrie. Deux de ses sœurs habitent encore la région. C'est chez l'une d'elles, Clara, que j'ai été gardée, petite, quand ma mère est allée à la pêche une semaine avec mon père.

Au bout d'une heure, on s'est retrouvés chez Clara. Ça faisait au moins quatre ans que je ne l'avais pas vue. Il y avait aussi Élise, la meilleure amie de ma tante. Je me demandais ce que je faisais là.

Tout le monde était énervé et ils se faisaient des « chuttttttt » pour ne pas laisser échapper un indice pouvant me mettre sur une piste.

Ensuite, on est tous montés dans la camionnette de mon oncle et on a fait un trajet d'une vingtaine de minutes à peu près.

On est arrivés chez une vieille dame toute menue que je ne connaissais pas. Tout le monde l'a embrassée avec chaleur. Puis, on nous a présentées. J'ai alors appris qu'Élise était sa fille.

Madame Savard m'a alors bien regardée et elle m'a dit, en mettant ses mains sur mes bras : « Tes parents vont être heureux ici ! J'en suis certaine. Et toi aussi, quand tu viendras, et tes enfants aussi quand tu en auras ! C'est une maison pleine d'amour ! » Elle souriait, mais des larmes coulaient sur ses joues. Élise l'a prise dans ses bras.

Moi, j'ai regardé mes parents et j'ai dit : « C'est pas vrai ? C'est quoi cette histoire ? »

Parce que cela en est toute une !

Le mari de madame Savard est décédé il y aura bientôt cinq ans. À ce moment, elle avait décidé de rester quand même dans sa maison, seule, aussi longtemps qu'elle le pourrait. Elle a maintenant soixante-dix-sept ans et c'est devenu vraiment trop lourd pour elle. Ses enfants ont beau venir la voir souvent et l'aider à entretenir la maison et tout ce qui l'entoure, elle se sent de plus en plus dépassée par tout ce qu'il y a à faire. Et elle s'ennuie, surtout l'hiver. Ses enfants ont aussi leur vie, ils ne peuvent pas toujours être là.

Tante Clara est allée à l'école avec Élise, chez qui madame Savard va aller habiter. Elles sont toujours restées amies. C'est grâce à cela que ma mère a appris que la maison allait être mise en vente.

Pendant qu'on m'expliquait cela, j'avais du mal à suivre. Comme si mon esprit refusait de faire le lien entre tout ça et mes parents.

À partir de là, tout s'est déroulé très vite parce que l'une des grandes peines de madame Savard était de penser que sa maison allait être vendue à des « étranges ». À des « touristes », comme elle les appelle aussi. Alors que là, la maison va rester « dans la famille », même si ce n'est pas tout à fait vrai, mais c'est comme si, puisque c'est la sœur de la meilleure amie de sa fille qui va l'habiter. En plus, maman vient « du coin ». C'est une « née-native »...

La maison est vraiment coquette, avec des lucarnes, des volets, une grande galerie tout autour ornée de frises en dentelle de bois.

C'est un véritable petit domaine, avec plein d'arbres et de l'espace ! Ce doit être magnifique l'été. Élise a dit qu'il y a des lilas, des amélanchiers, des pommiers, des framboisiers, des pivoines, des rosiers sauvages, des gadeliers, des roses trémières, je ne me rappelle plus le reste, mais c'est plein de choses anciennes et un peu sauvages. Il y a même un vieux potager, avec de la rhubarbe, des asperges, des fraises et des fines herbes, un peu laissé à l'abandon parce que madame Savard ne pouvait plus s'en occuper. Maman a l'air ravie alors que je pensais qu'elle n'aimait que les plates-bandes et les rocailles bien « contrôlées », avec les dernières nouveautés des centres de jardinage.

Quant à mon père, c'est le plus grand mystère pour moi que ce désir de vouloir habiter à la campagne.

Je ne sais pas où et quand mon père a pris ce goût pour la campagne ! En même temps, quand je le voyais se préparer et partir à la pêche de façon quasi religieuse, je me disais qu'il y avait un autre homme en lui que je ne connaissais pas du tout.

L'été dernier, je n'ai pas pu aller à la pêche avec lui, à cause de mon nouveau travail, même si j'en avais envie. Mais, lorsqu'il était encore à l'hôpital, je lui ai juré que, l'été prochain, j'irais me faire manger avec lui par les moustiques, quoi qu'il arrive.

Je comprendrai peut-être alors mieux cette part de lui qui m'échappe.

Chapitre 24

Quelle journée! C'est pas croyable!

Au début de l'après-midi, Christian est venu me demander, textuellement : « Ça t'tenterait-tu qu'on aille prendre une bière après le travail ? »

Quand il a été sorti de mon bureau et que la porte a été bien refermée, j'ai tout de suite appelé Justine à l'Institut de réadaptation où elle travaille. J'ai laissé un message complètement euphorique dans sa boîte vocale.

Elle m'a rappelée, une demi-heure plus tard.

Entre-temps, je m'étais cependant complètement dégonflée.

Je n'arrêtais pas de lui dire que j'avais maintenant juste envie de me sauver, de disparaître, que j'avais tellement la trouille que j'en avais mal au ventre, qu'il allait sûrement me dire que je ne lui étais pas totalement indifférente, maiiiiiiiiiiiiis………... qu'il y avait déjà quelqu'un dans sa vie, ou qu'il était bouddhiste et qu'il partait demain se faire moine au Tibet, ou qu'il était transsexuel, ou qu'il allait se faire opérer la semaine prochaine pour une grosse tumeur au cerveau et qu'il deviendrait probablement légume, n'importe quoi qui me clouerait le bec et me ferait me noyer dans ma bière.

Ou bien il allait me dire poliment que ça commençait à lui taper passablement sur les nerfs que je me mette à trembler, à bafouiller, à suer et à tomber en pâmoison chaque fois qu'il me parlait. Que je ne l'intéressais vraiment pas et que ça le mettait mal à l'aise, tout ça. Qu'il aimerait que je sois un peu plus professionnelle. On fait partie d'une équipe, on a à travailler ensemble à l'occasion, alors pas question de rendre les choses inutilement compliquées ou troubles !

Justine, elle, n'arrêtait pas de me dire : « Arrête ! Mais arrête de faire des scénarios ! Arrête ! »

Je continuais quand même à lui débiter mes débilités quand elle a crié dans le téléphone : « CAT ! ÇA SUFFIT ! »

Il y a eu un silence.

Puis, elle a ajouté : « Si t'as envie d'bousiller ce rendez-vous, c'est tes affaires ! Moi, faut que j'retourne travailler. »

Elle a raccroché.

Clac !

Elle m'aurait envoyé un seau d'eau glacée à la figure, cela n'aurait pas eu un meilleur effet !

Après, je n'ai pas réussi à faire quoi que ce soit de vraiment efficace, mais j'étais au moins sortie de ma transe.

Je suis allée aux toilettes trois fois pour me « rafraîchir », vérifier que mes cheveux étaient corrects, me brosser les dents (deux fois !), me remettre du gloss, essayer d'enlever une petite tache sur mon chandail.

J'aurais voulu pouvoir aller chez moi prendre un bain aux huiles essentielles, me faire un masque vivifiant aux agrumes et me mettre des concombres sur les yeux, partout, me parfumer aux concombres ! Je me serais ensuite séché et brossé les cheveux soigneusement, j'aurais remaquillé mes yeux en y mettant juste un tout petit peu plus de noir, j'aurais choisi d'autres vêtements plus... je ne sais quoi... féminins, peut-être ?

Mais tout cela n'aurait rien changé, j'en suis certaine.

Nous nous sommes retrouvés dans un café pas très loin du CLSC. Il était déjà là. J'avais peur que des collègues y soient aussi ou y viennent. Ça arrive.

En me dirigeant vers lui, je me suis rendue à l'évidence : cette invitation n'était rien d'autre pour lui que « aller prendre une bière avec une collègue ». Sinon, il m'aurait donné rendez-vous ailleurs, si cela avait été « spécial ». Il n'aurait certainement pas choisi cet endroit pour me faire une déclaration d'amour ! N'importe qui d'autre du CLSC pouvait entrer et venir s'asseoir à notre table !

De la porte à la table, j'ai eu le temps de déchanter. Quand je me suis assise, je ne m'attendais plus à rien. J'avais juste envie de m'en aller.

Il s'est penché vers moi, il m'a regardée dans les yeux et il a dit : « Ça va, Catherine ? »

J'ai ramassé mon sac et je suis sortie beaucoup plus vite que j'étais entrée.

Je m'étais refermée comme une huître.

Il m'a rattrapée sur le trottoir et il a agrippé mon bras. Je l'ai regardé sans le voir, les dents serrées.

Il a dit : « Viens, on va marcher. »

On a marché un bon moment, rapidement, tellement rapidement que j'en étais essoufflée.

Il s'est arrêté, à bout de souffle, lui aussi, et il m'a demandé ce qui n'allait pas. J'ai répondu : « Je suis fatiguée, je pense. »

On a continué à marcher, un peu moins vite.

Ensuite, il m'a demandé si je préférais qu'on se voie un autre jour.

Je ne sais pas pourquoi, mais je me suis tout de suite tournée vers lui et j'ai presque crié : « Non ! »

Et là, il a compris. Moi aussi.

On se regardait sans rien dire. Quelque chose se passait comme si on avait été des extraterrestres et que ça communiquait fort, dans un autre langage, sans qu'on ait rien à faire.

Puis, il a dit : « Je pense qu'on a des choses à se dire. Moi, en tout cas. »

J'ai ajouté : « Moi aussi. » J'étais crispée, mais j'avais envie de lui parler, sans même savoir ce que j'allais lui dire.

On s'est trouvé un petit resto tranquille.

Et là, on s'en est dit des affaires !

Des belles !

Chapitre 25

Christian travaillait au centre hospitalier aujourd'hui et c'était une très bonne chose parce que je ne sais pas comment j'aurais fait si j'avais eu à le croiser ou à lui parler, devant les autres, sans rien laisser paraître.

Et même s'il n'était pas là, des collègues m'ont trouvée bizarre, radieuse, plutôt survoltée. Je riais pour un rien, j'avais de l'énergie à revendre même si je n'ai presque pas dormi parce que c'était trop bon de ressasser dans ma tête tout ce qui s'est passé hier soir.

Au petit resto, Christian m'a d'abord parlé de lui. De ses « sentiments » à mon égard. Et des raisons de sa retenue, jusqu'ici.

Christian a été marié deux ans à une femme qu'il adorait, Alicia. Elle est morte dans un accident d'auto. Cela a fait trois ans au mois d'août. Elle était enceinte de cinq mois.

Il ne sait pas s'il est tout à fait remis de ces deuils. Il avait peur de s'engager dans une relation avec moi et de s'apercevoir ensuite qu'il n'était pas prêt. Et de me faire mal.

Il s'est tu.

On se regardait.

Je me suis penchée vers lui et je lui ai dit, presque tout bas, la première chose qui m'est venue : « On verra bien. Je suis prévenue. »

Il a souri.

J'ai ajouté : « Moi aussi, j'ai peur. Pas du tout pour des raisons aussi graves que les tiennes. Mais j'ai très peur. »

Et je lui ai parlé de moi, de ma difficulté à dire ce que je ressens, à m'abandonner à mes propres rêves. À un homme.

Et là, ça s'est mis à débouler, je lui ai tout dit, pêle-mêle, sans aucune retenue. J'ai plongé la tête la première. J'ai tout risqué. Pas de frime. J'ai tout mis sur la table.

Quelque part en moi, ça disait : « Si cet homme en vient à t'aimer, ce sera pour ce que tu es. »

Je lui ai parlé de mes « quatorze ans », de Justine, de Francis, même de madame Fortier. Et de mes parents, bien sûr.

Il m'a aussi parlé des siens.

Sa famille est très importante pour lui. Il a deux frères et deux sœurs. Quand tout le monde vivait à la maison, il y avait de l'action, paraît-il, et c'est encore ainsi quand ils se retrouvent. J'ai de la difficulté à m'imaginer cela, moi, l'enfant unique super couvée et gâtée. Ses parents devaient budgéter serré avec tous ces enfants et la maison n'était pas bien grande. Ils ont eu leurs problèmes. L'une de ses sœurs a été violée à douze ans. Un de ses frères a fait un bout sur la coke. Mais ils sont toujours restés très près les uns des autres et Christian croit que c'est cela qui les a tous sauvés. Ils étaient là, près de lui, après la mort d'Alicia et, sans eux, il ne sait pas comment il s'en serait sorti. Il a pensé au suicide pendant cette période.

Il ne m'a rien dit de plus sur Alicia et sur leur couple.

Je ne lui ai pas posé de questions. Parce que ça lui appartient et que je ne voulais pas être indiscrète, mais aussi parce que j'avais peur de ne pas me sentir à la hauteur de cette femme qu'il a « adorée ». D'être jalouse d'elle et de ce qu'elle a vécu avec Christian. D'essayer, peut-être même, sans m'en apercevoir, de lui ressembler, de recréer avec lui ce qu'il a tant aimé avec elle, en elle.

Ça détruirait tout, moi la première.

Épilogue

J'ai beaucoup moins besoin d'écrire. Probablement parce que je parle davantage de moi, même maladroitement. De ce que je ressens vraiment.

Et cela, non seulement avec Christian, mais avec mes parents, aussi. Et avec Justine, qui vient d'avoir une petite fille, Sandrine, dont je suis la marraine.

Christian et moi, nous avançons doucement.

J'apprends à aimer. Et à me laisser aimer, telle que je suis.

C'est tellement bon !

Table

Dans la même collection

DANGER

LE PHOTOCOPILLAGE TUE LE LIVRE

Cet ouvrage
composé en Palatino corps 11,5 sur 14,5
a été achevé d'imprimer
en novembre deux mille six
sur les presses de
HLN, Sherbrooke (Québec), Canada.